L'euthanasie

L'euthanasie

NICOLAS AUMONIER

Ancien élève de l'ENS, agrégé de philosophie,
chargé de cours à l'Université
Paris I - Panthéon-Sorbonne

BERNARD BEIGNIER

Professeur à la Faculté de droit de Toulouse

PHILIPPE LETELLIER

Professeur à la Faculté de médecine de Caen
Chef du service de Médecine interne
Responsable d'une unité de soins palliatifs
et du Diplôme universitaire de soins palliatifs

Deuxième édition

8ᵉ mille

ISBN 2 13 051636 X

Dépôt légal — 1re édition : 2001
2e édition : 2002, mars

INTRODUCTION

Il nous a paru évident à tous trois qu'il fallait, sur un sujet si grave, croiser l'apport de la médecine, de la philosophie et du droit pour tenter de s'y retrouver dans l'écheveau des termes employés et des doctrines en présence. L'ordre de nos contributions nous a paru aller de soi : d'abord les faits, médicaux (chap. I à III, Ph. Letellier), puis la réflexion philosophique qui s'exerce sur eux (chap. IV à VI, N. Aumonier), puis l'avis du droit sur ce qui doit être (chap. VII à IX, B. Beignier). Ce dispositif ne doit pas faire penser que les auteurs ont une thèse – *ce qui doit être* – et la défendent à tout prix. Cependant, le lecteur doit être prévenu d'emblée qu'il existe à peu près deux positions inconciliables sur la question euthanasique, l'une, qui en fait un interdit à ne surtout pas transgresser sous peine de bafouer gravement le respect dû aux personnes, de ruiner la confiance des malades en leur médecin, et de faire éclater le corps social ; l'autre, qui considère l'euthanasie comme un droit naturel qui reste encore en grande partie à conquérir sur le terrain du droit positif, comme un respect de l'autonomie d'une personne. Chacune de ces deux thèses, pour ainsi dire chacun de ces deux partis, possède son vocabulaire, ses arguments, ses relais associatifs. Pouvions-nous échapper à l'un de ces deux camps, et adopter quelque troisième voie ? Certains

5

travaux ont cru pouvoir le tenter, mais se ramènent en réalité à l'une ou l'autre thèse. Chacun doit donc au moins s'interroger pour savoir si ces deux thèses possèdent chacune le même poids rationnel. Quant à nous, pensant à la fois que la collection « Que sais-je ? » n'est pas le lieu d'une prise de position idéologique, mais qu'il est impossible d'échapper ici au choix d'un parti, tant les conditions de la mort de ceux que nous aimons nous importent, nous exposerons le plus honnêtement qu'il nous sera possible ce que nous croyons savoir et ce qui nous paraît juste, n'ayant, dans toute cette affaire, que le souci des personnes singulières, c'est-à-dire de personnes dont chacune engage, à sa manière toujours particulière, la condition de tous.

Chapitre I

LE CONTEXTE MÉDICAL ACTUEL

La mort fait peur, plus encore du fait des progrès de la médecine moderne qui ont donné à croire qu'on pourrait la repousser indéfiniment. Le médecin est fait pour soigner, soulager, parfois guérir. On le sollicite d'adoucir la mort. Il le peut de mieux en mieux. On lui demande désormais de faire mourir pour éviter la souffrance. Le doit-il ?

I. – Un terme ambigu. Une réalité interdite

Le lecteur trouvera au chapitre IV une histoire du mot *euthanasie,* passé du sens de « bonne mort ou mort douce et sans souffrance » (Littré) à celui de « mort provoquée pour épargner au malade des souffrances physiques ou psychiques insoutenables » *(Petit Larousse).* Pour distinguer entre mort douce et mort provoquée, certains distinguent l'*euthanasie passive* (abstention de tous soins vitaux pour écourter l'agonie, ou cessation ou renoncement à un traitement disproportionné pour laisser venir la mort) et l'*euthanasie active* (administration d'une substance toxique pour provoquer délibérément la mort, avec ou sans le consentement du malade). Ces deux formes d'euthanasie diffèrent de l'*euthanasie involontaire* qui désigne la mort qui suit une sédation qui entraîne peu à peu la mort, mais a pour but de soulager une souffrance insoutenable. Avec ou sans adjectif, le terme d'*euthanasie* reste ambigu. Dans les discussions publiques, il est employé indifféremment dans son sens étymologique de « bonne mort » ou dans son acception moderne de « mort provoquée » ; on présente les choses en faisant comme si le choix devait se faire entre l'euthanasie et l'acharnement thérapeutique, ou entre l'euthanasie et l'abandon du malade, comme si les soins palliatifs et l'accompagnement des mourants n'existaient pas. Périodiquement, des sondages sont effectués auprès du public et des médecins pour savoir s'ils veulent « mourir dans la dignité », « mourir sans souffrir », « être aidé à mourir », « être accompagné dans leur mort ». La grande majorité des réponses sont favorables, tant ces formules peuvent s'appliquer aussi bien aux soins palliatifs qu'à la mort provoquée. Or la relation de confiance qui doit exister entre le patient en fin de vie, conscient ou non, et son médecin, semble imposer le choix d'un seul sens, de préférence précis et non ambigu.

Nous entendrons ici l'euthanasie comme *le fait de donner sciemment et volontairement la mort* et appellerons euthanasique *le geste ou l'omission qui provoque délibérément la mort du patient dans le but de mettre fin à ses souffrances.*

Ainsi définie, l'euthanasie est interdite dès le Préambule et l'article 1er de la Déclaration des droits de l'homme et par le Code civil. Elle est interdite aux médecins depuis Hippocrate, dont le Serment stipule : « Je ne remettrai à personne de poison si on m'en demande, ni ne prendrai l'initiative d'une pareille suggestion », repris par le Code de déontologie médicale, article 38 : « Le médecin doit accompagner le mourant jusqu'à ses derniers moments, assurer par des soins et mesures appropriés la qualité d'une vie qui prend fin, sauvegarder la dignité du malade et réconforter son entourage. Il n'a pas le droit de provoquer délibérément la mort. » Assimilé à l'euthanasie, le *suicide médicalement assisté* est interdit.

II. – L'évitement de la mort

Réalité obscène, il convient de la taire, de la cacher et de faire comme si elle n'existait pas. Aussi se réfugie-t-elle dans les hôpitaux, les hospices, les maisons de retraite, volontiers situées en dehors des villes, dissimulées derrière des murs de pierre ou de verdure, mouroirs des temps modernes pour près de 70 % de nos contemporains qui ne sont pas tous parents de mal-logés. L'exiguïté des habitations, l'éclatement de la famille moderne, le travail des femmes, le divorce, mais aussi l'hypertechnicisation de la médecine, tout concourt au transfert du grand malade et du vieillard dans une institution. Le cérémonial de deuil a été allégé. Souvent les enfants en sont exclus. De moins en moins de gens se rendent au cimetière. Le développement de l'incinération peut être un moyen d'échapper au culte des morts. Pourtant, nul ne peut échapper à la douleur devant la mort. Certains souhaitent une mort brutale qui paraît sans douleur. D'autres, qui ont accepté leur mort, souhaitent au dernier moment mourir chez eux, et se heurtent à la volonté inflexible d'un conjoint révolté qui, n'ayant pas encore accepté cette mort, refuse énergiquement au mourant, à la mort, de pénétrer à l'intérieur du domicile.

III. – Dire ou non la vérité ?

1. **La médiatisation de la médecine.** – La vulgarisation des connaissances médicales à travers différents médias a suscité un grand intérêt, faisant comprendre ce que les médecins, parfois trop pressés, n'avaient pas le temps d'expliquer. Mais inévitablement simplificatrice et limitée, elle a pu donner l'illusion du savoir et d'un droit à la santé. Les malades, mieux informés, sont de moins en moins conscients de *l'incertitude médicale qui persiste*. Ils ne comprennent pas toujours qu'il faut du temps pour établir certains diagnostics ou qu'il reste souvent difficile d'évaluer un pronostic.

2. **L'inhumanité du mensonge.** – Autrefois, en cas de maladie grave, le médecin cachait le diagnostic au malade, mais le révélait à la famille. Cette « conspiration du silence » a été dénoncée, elle est heureusement de plus en plus rare, car elle aboutissait à mentir au patient et à le laisser parfois effroyablement seul jusqu'à l'approche de sa mort : « Ce mensonge admis on ne sait pourquoi par tous, qu'il n'était pas malade et non pas mourant, et qu'il

n'avait qu'à rester calme (...). Il souffrait de ce qu'on mentît en l'obligeant à prendre part à cette tromperie » (Tolstoï, *La Mort d'Ivan Illitch*).

3. **Des mots qui tuent.** – Si le mensonge doit être écarté, celui qui réclame la vérité n'est pas toujours prêt à l'entendre. À son chirurgien qui venait de lui révéler qu'il avait un cancer, Freud s'écria : « De quel droit me dites-vous cela ? Qui vous a donné le droit de me tuer ? » La prudence s'impose avec les malades dont on aurait attendu la plus grande force d'âme et avec ceux qui vous pressent de leur dire la vérité. « Il n'y a pas une vérité, mais les vérités de chaque instant, la vérité que le malade désire et peut entendre » ; « en dire trop, trop tôt, peut faire autant de mal, qu'en dire trop peu, trop tard » (Saunders et Baines). Il faut donc du temps au malade, et à sa famille, pour entendre et comprendre ; le malade est notre guide, lui seul sait ce qu'il veut et peut entendre. Il faut faire preuve d'un tact si subtil qu'il ne pourra jamais être codifié : « On n'a pas le droit de jeter bas, d'un seul coup, d'une seule parole, tout l'espoir d'un homme » (Bernanos, *Journal d'un curé de campagne*). Un homme brutalement informé d'une maladie assortie d'un pronostic de moins de trois mois mourut en état de choc quinze jours plus tard. Un autre, qui ne voulait pas en savoir trop, s'endormait dès qu'il apercevait le masque d'effroi de son épouse à qui le chirurgien avait révélé la nature du mal. Un troisième, sachant tout du mal qui le gagnait, feignit jusqu'au bout de se plaindre d'une vieille blessure de guerre sans

pourtant refuser les soins qui lui parurent raisonnables. Un quatrième, posant brutalement la question, fut réellement libéré par la révélation du diagnostic, qui lui permit de régler ses affaires et de se préparer courageusement et sereinement à la mort. Il faut du temps pour faire le deuil de sa santé. Il faut aux médecins du temps, de l'expérience et beaucoup d'écoute pour comprendre leurs malades.

IV. – Le traitement de la douleur

1. **Le déni de la douleur.** – Jusqu'à une époque récente (en France, les années 1980), la douleur faisait l'objet d'un déni quasi général de la part du corps médical. Elle existait, certes, personne n'aurait pu la nier ; elle était un symptôme, un signal d'alarme utile pour guider le médecin dans son diagnostic, mais son soulagement n'était pas une priorité. Elle était en quelque sorte le prix à payer pour guérir. Du reste, les traitements de la douleur étaient peu nombreux, d'efficacité réduite et de durée limitée. Et pour en faire bénéficier leurs malades, les infirmières et aides soignants devaient souvent supplier le médecin. On ne se posait pas la question de calmer les douleurs post-opératoires, de faire une anesthésie locale pour certaines petites chirurgies. Quant aux nouveau-nés et enfants en bas âge, on pensait que l'immaturité de leur système nerveux les protégeait de la douleur.

2. **L'évolution des mentalités.** – On sait maintenant qu'il suffit de quelques jours, de quelques heu-

res parfois, pour qu'un enfant dont la douleur n'a pas été rapidement soulagée s'enferme dans le mutisme et l'immobilité (voir A. Gauvin-Piquard, M. Meignier, *La douleur de l'enfant,* Paris, Calmann-Lévy, 1993). On sait aussi que de telles réactions se rencontrent chez le vieillard et, plus rarement, chez l'adulte. Le « bon médecin » ne doit plus attendre que le malade se plaigne de douleurs, il doit constamment y penser, interroger l'entourage, les aides soignants, les infirmières, et *observer,* car la douleur qui dure anéantit celui qu'elle ronge, le recroqueville, l'immobilise et l'enferme dans la désespérance.

3. **La nécessité de la morphine.** – Quant à la morphine, le plus puissant des antalgiques, elle était tabou : c'était une drogue dangereuse, à l'origine de toxicomanies et d'arrêts respiratoires. Il n'était donc pas question de l'employer. De plus, sa prescription était délicate, car les malades la redoutaient, pensant qu'elle était réservée aux affres de l'agonie. Or la morphine peut opérer des miracles. Un homme de 50 ans, hospitalisé pour une suspicion de cancer du poumon, ne se plaignait pas, mais restait le plus souvent immobile sur son lit. Quand on lui demandait s'il souffrait, il répondait invariablement non. Pourtant, son immobilité et la tristesse de son regard intriguaient. Le troisième jour, une complication redoutable imposa l'administration immédiate de corticoïdes et de morphine. Le lendemain matin, il était debout, plein d'entrain. Désormais, la douleur peut être soulagée dans la majorité des cas. Ses traite-

ments actuels sont nombreux, puissants et efficaces. La morphine ne doit plus faire peur, elle n'altère pas la lucidité et ne rend pas fou. Elle est irremplaçable.

4. **La douleur morale.** – Mais la douleur ne se résume pas à la souffrance physique des grands malades. La douleur morale est leur compagnon obligé et la douleur spirituelle n'a pas disparu. Traiter la souffrance du grand malade, c'est donc aussi l'entourer pour rompre le cercle infernal de la dépression et de la solitude. Aucun antalgique, aussi puissant soit-il, ne peut remplacer un regard, une parole, une présence. Entourer, c'est être présent sans oppresser, respecter une personnalité, un besoin de dignité, de responsabilité, de générosité, de tendresse aussi, savoir partager une peine, se taire parfois, s'occuper de tous les soins du corps, entretenir l'espoir jusqu'au bout. « Qui ne fait pas de projet, même à l'heure de sa mort ? » (Bernanos). Le traitement de la douleur est peu de choses par rapport à la qualité de vie qu'il permet à nouveau.

V. – Les progrès de la médecine scientifique

1. **Performance et humanité.** – Les prodigieux progrès de la technologie médicale n'ont ni supprimé la mort, ni adouci les agonies. Bien au contraire, la technique a souvent déshumanisé ce temps, privant le mourant de *sa* mort, au rebours d'une exigence de lucidité : « Je crois que je souhaiterais mourir en pleine connaissance, avec un processus de maladie assez lent pour laisser en quelque

14

sorte la mort s'insérer en moi » (Marguerite Your-cenar, *L'Œuvre au noir*). Aujourd'hui, la mort est devenue imprévisible, incertaine, intolérable : « C'est trop long » ; « ça ne peut plus durer » ; « je n'en peux plus » ; « faites quelque chose » ; « ayez pitié, Docteur ». De telles suppliques réitérées jour après jour par des mourants au regard angoissé bouleversent l'entourage et les soignants. Quel est celui qui, ayant vécu de telles souffrances, n'a pas ressenti le désir éperdu « que ça finisse » ?

2. L'acharnement thérapeutique.
– Le réflexe de tout médecin est toujours de vouloir tenter quelque chose. Les progrès extraordinaires des techniques de réanimation et la combativité des réanimateurs per-mettent désormais de sauver beaucoup de vies hu-maines. Pourtant, le grand principe du respect de la vie ne signifie pas sa prolongation au prix de tous les excès. Une décision de réanimation en vient peu à peu à considérer la qualité de la vie qui sera ou non prolongée. S'agit-il d'un processus pré-eugéniste ? Appartient-il au réanimateur de choisir ? Ou de ne pas choisir ? La difficulté consiste à apprécier l'utilité des efforts en fonction de la gravité de la situation. L'incertitude médicale est importante, puisque la médecine n'est pas une science exacte et que le médecin est souvent incapable de prévoir l'issue d'un traitement. Tel est le cas lorsque des per-sonnes atteintes d'une maladie incurable (sida, can-cer) contractent une autre maladie (septicémie, acci-dent cardiaque...) qui menace leur pronostic vital immédiat mais peut aussi laisser les malades avec de

lourdes séquelles, ou les rendre dépendants de techniques de survie artificielle. Les erreurs de pronostic sont fréquentes. Le médecin expérimenté ne conclut pas trop vite que le malade est perdu – ne parle-t-on pas d'acharnement thérapeutique lorsque le traitement échoue, et de miracle lorsqu'il réussit ? La décision de poursuivre ou d'interrompre un traitement de réanimation incombe-t-elle alors au malade, à la famille, ou à l'équipe médicale ? La liberté du malade doit rester fondamentale. Mais la souffrance, l'inconscience ou l'absence de connaissance peuvent fragiliser cette liberté.

Lorsqu'une très vieille dame qui n'a plus le cœur à vivre refuse de manière constante et lucide toute alimentation et tout traitement sans que personne n'ait de prise sur sa décision, elle renonce à des moyens qui lui paraissent disproportionnés pour se préparer à la mort. Son refus lucide de soin n'équivaut pas à un suicide, mais à une libre acceptation de sa condition. Sa décision ne peut qu'être accompagnée et respectée.

Lorsqu'une épouse inquiète de voir partir en trois semaines son mari sans qu'aucun traitement ne fasse de l'effet exige le transfert immédiat de son mari par hélicoptère dans un CHU parisien, elle donne l'exemple d'une attitude qui conduit les équipes médicales, malgré elles, à un véritable acharnement thérapeutique.

Lorsqu'un homme atteint d'insuffisance respiratoire contracte une pneumopathie si grave qu'il faut le transférer en réanimation d'où il ressort, au bout de huit semaines, amaigri de 16 kg, mais lucide et heureux de vivre, la décision de réanimation n'a pas à être regrettée.

La famille doit être consultée, lorsqu'elle existe encore, et peut ou veut bien se déplacer, mais ses critères d'appréciation ne valent que s'ils respectent, de manière unanime, le seul intérêt du malade. Il faut donc la consulter, mais il serait dangereux de lui faire porter tout le poids de la décision comme de la laisser imposer sa volonté. C'est donc le plus souvent à l'équipe médicale tout entière que revient une décision grave, requérant l'analyse précise d'une situation médicale, personnelle, émotionnelle, familiale, sociale et spirituelle.

VI. – Le concept d'autonomie du patient et ses limites

Pour des raisons diverses, les relations des patients à leur médecin sont passées de la confiance totale, autorisant une sorte de paternalisme médical, à l'affirmation de plus en plus nette de la capacité de choix et de l'autonomie de patients plus instruits qui participent aux décisions de santé qui les concernent ; s'ils n'ont pas toute leur lucidité, s'ils sont mineurs ou incapables, cette capacité de choix est assumée par leurs représentants légaux. Il en va du respect des personnes et de leur liberté. C'est un progrès indiscutable, qui permet aussi une meilleure observance des prescriptions.

Mais cette autonomie du patient a aussi des inconvénients : exigence irréaliste de certains malades, abus d'explorations complémentaires coûteuses et inutiles, nomadisme médical, apparition d'une revendication d'un droit à la santé et, même, d'un droit au résultat, tendance à prendre le médecin pour un simple prestataire de services. Si toute la responsabilité de la décision repose sur un seul, médecin ou malade, un déséquilibre se crée qui infantilise le patient ou lui fait courir le risque d'un véritable acharnement thérapeutique ou d'une euthanasie non volontaire. Aucun des deux ne doit donc idéalement abdiquer sa part de responsabilité dans la décision.

Chapitre II

LA DEMANDE D'EUTHANASIE

I. – La pratique euthanasique :
réalité, silence

En France, la pratique euthanasique s'est répandue, en marge de la loi, depuis les années 1980. Elle utilise le cocktail lytique ou DLP, mélange de trois drogues sédatives, le Dolosal, le Largactyl et le Phénergan, en injection intraveineuse à forte dose, et recourt plus rarement à des injections de potassium. Personne ne nie l'existence de ces pratiques, mais les avis divergent sur leur fréquence car le silence qui les entoure est la règle. Elles paraissent cependant moins fréquentes que ne le laissent supposer les sondages, car il y a souvent confusion, au sein même du corps médical, sur le sens de ce mot : beaucoup d'abstentions thérapeutiques ou d'interruptions de traitement devenu disproportionné sont comptées comme des euthanasies. La récente étude française de recueil des données de 113 unités de soins intensifs de février à mars 1997 (Étude LATAREA : E. Ferrand, R. Robert, P. Ingrand, F. Lemaire, *Lancet,* 6 janvier 2001, 357 (9249), 9-14) ne porte que sur les arrêts et limitations de traitements, non explicitement sur des actes d'euthanasie. L'étude montre simplement que, sur

7 309 patients admis en soins intensifs durant cette période, les traitements ont été interrompus ou non commencés pour 807 patients (avec 336 cas d'abstention et 471 cas d'arrêts de soins), soit 11 % des malades hospitalisés, et 54 % des 1 175 décès. Mais selon les chiffres d'une étude de 1995 de Didier Peillon réalisée par questionnaire auprès de 140 anesthésistes réanimateurs de centres hospitalo-universitaires en France sous couvert de l'anonymat, 26 % d'entre eux répondent positivement à la question : « Vous arrive-t-il de provoquer le décès par injection de médicament ? » Une autre étude française de 1999, des Drs Pochard et Azoulay, précise que 20 % des décisions de limitations ou d'arrêts de traitements actifs sont des « *injections avec intentionnalité de décès* ».

II. – **Qui demande l'euthanasie ?**

1. **Les personnes bien portantes surtout.** – Les demandes d'euthanasie émanent de l'entourage, de la famille, principalement, ou d'un soignant. Cette demande provient presque toujours de sujets bien portants, ou tout au moins de patients qui ne sont pas mourants. Dès que l'état de santé s'altère, dès que la maladie devient sérieuse, le discours change : le malade n'a plus qu'un souhait : être soulagé, soigné, et, si possible, guérir. L'observation suivante en est l'illustration :

La peur rétrospective du « testament de vie ». Un homme de 60 ans, grand bronchopathe chronique, est traité pour un état de détresse respiratoire : intubation trachéale, ventilation artificielle pendant trois semaines, au terme desquelles, avec beaucoup de difficultés, il est sevré de sa prothèse respiratoire et recouvre son autonomie. Au moment de quitter le service, il vient rencontrer l'équipe médicale pour la remercier de ses bons soins ; il ajoute : « J'ai eu très peur. » « Certes, lui répond le médecin, nous aussi. » « Ce n'est pas cela, ajoute-t-il ; j'ai craint, pendant toute la durée de l'hospitalisation, que vous ne découvriez dans mon portefeuille le papier sur lequel j'avais écrit, il y a cinq ans, qu'en aucun cas je ne voudrais être réanimé. » Cette histoire, rapportée par le Pr Mantz (*Le Suplément,* n° 192), montre bien la valeur relative du « testament de vie ».

2. **Les malades.** – La demande est exceptionnelle chez les malades, même à l'hôpital ; elle est rarement faite de façon directe : « Faites-moi une piqûre » ; « arrêtez les perfusions et les appareils » ; mais bien souvent avec des formules du type : « Je suis une charge pour ma famille » ; « il faut que cela se termine » ; « c'est trop long » ; « aidez-moi ». Pourquoi ce malade demande-t-il la mort ? Peut-être parce qu'il a des douleurs intolérables : on peut presque toujours les vaincre ; ou bien parce qu'il est déprimé à certains stades de sa maladie : cela aussi se soigne ; ou bien parce qu'il ne veut plus dépendre des autres, donner du mal, être un poids pour les siens ; ou bien parce qu'il craint que les médecins ne veuillent à tout prix le maintenir en vie. L'ambivalence d'une demande de mort par le malade est donc très grande.

Certains expriment des demandes contradictoires. « Je suis en contradiction avec moi-même : je vous demande une piqûre pour en finir et, en même temps, j'engueule l'aide-soignante parce qu'elle apporte le repas en retard... Cela veut dire que j'ai envie de vivre. »

« M. L..., atteint d'un sida, demande à mourir aujourd'hui et, en même temps, il veut attendre trois jours pour connaître les résultats de son fils » (Regnard, Davies et Salamagne, *Revue francophone de soins palliatifs,* n° 31).

Ces demandes sont un appel à l'aide, une invitation à donner plus d'attention, plus de présence, plus de tendresse pour atténuer l'angoisse et le sentiment d'abandon. Prendre le malade au mot serait refuser d'entendre sa détresse, ne pas comprendre ce qu'il attend de son entourage : savoir qu'il est vivant, que sa fin de vie a un sens, et que nous sommes là pour l'aider à la *vivre jusqu'au bout.* Le regard que nous portons sur ces malades a la plus grande importance, car nous n'ignorons pas qu'une personne peut projeter sur une autre son propre désir, en l'occurrence celui de mettre fin à une situation trop pénible (Verspieren). Certains patients se laissent mourir pour ne pas déranger leur entourage. Mais lorsque la douleur des malades est soulagée, leur demande d'euthanasie est exceptionnelle.

3. **Les familles.** – Cette demande est le plus souvent formulée de façon indirecte : « Ce n'est plus possible », « c'est intolérable », « il faut que cela cesse ».

Une demande d'euthanasie d'une famille épuisée par les soins à domicile, et la solitude du médecin face à cette demande. Il n'y avait plus rien à faire, avaient dit les médecins. Tous les traitements avaient échoué. La tumeur progressait inexorablement, rongeant la face de cette femme de 64 ans. Elle voulait mourir chez elle. Ses deux filles l'entouraient de leur tendresse, se relayant à son chevet jour et nuit, assurant avec l'aide d'infirmières et d'un médecin compétents des soins constants. Cela durait depuis bientôt 4 mois quand la situation empira et devint atrocement pénible. Jusqu'alors elles étaient parvenues avec des prodiges d'imagination et de courage, cachant leur peine, à dissimuler l'horrible délabrement, faisant les soins de toilette jour et nuit, réussissant à maintenir la literie immaculée, la chambre aérée et toujours fleurie. Mais la hideur du visage et l'odeur de cette moribonde devenaient insoutenables. Il n'était pourtant pas question de l'hospitaliser : elles avaient promis. La lassitude, le découragement gagnèrent bientôt tout le monde. Un soir, une des filles, à bout, dit au médecin : « Faites quelque chose, ça ne peut plus durer. » Il revint le lendemain et fit une injection mortelle.

On ne peut s'empêcher d'admirer ces deux femmes qui ont tenté, jusqu'à la limite de leur force, de tenir leur promesse. Donner de tels soins à l'hôpital est déjà éprouvant et même difficilement tolérable pour des professionnels travaillant en équipe ; à domicile, la difficulté est énorme, épuisante, insoutenable pour les accompagnants qui ne peuvent compter sur l'aide de professionnels, tout au plus une à deux heures par jour, et doivent assumer toutes les tâches le reste du temps. Il aurait fallu les convaincre d'accepter l'hospitalisation de leur mère pour mieux la soulager et adoucir son agonie. Il en aurait résulté un sentiment de frustration et de culpabilité sans doute, mais le remords des « survivants » eût été moins intense et durable qu'après cette euthanasie sans consentement de la malade pourtant restée lucide. Le médecin qui pratique un acte euthanasique le fait par compassion, dans une situation extrême. Il n'a pas toujours conscience, alors, que la mort lui fait peur, car cette mort de l'autre lui renvoie l'image de sa propre mort à venir. Or il a été formé à décider et à agir ; il souffre de son impuissance aussi, et cet acte peut constituer une ultime manifestation de sa volonté de puissance ou de sa détresse.

L'expérience nous l'a maintes fois confirmé : savoir qu'elles peuvent encore compter sur l'équipe hospitalière afin de passer un cap, se reposer quelques jours, constitue pour beaucoup de familles un encouragement de valeur et peut éviter des demandes d'euthanasie.

La demande d'euthanasie d'une famille épuisée, et la réponse de l'équipe hospitalière. À la demande de sa famille durement éprouvée par plusieurs mois d'accompagnement à domicile, un homme de 72 ans, atteint d'un cancer généralisé, est hospitalisé. Le malade, détruit par le mal qui le ronge, n'est plus que « souffrance », incapable de communiquer avec les siens, pourtant très attentifs et qui l'entourent jour et nuit. La famille, épuisée et désespérée, fait d'emblée une demande d'euthanasie : « C'est intolérable, c'est affreux, monstrueux de laisser souffrir pareillement un malade. Il ne peut même plus bouger, il a du mal à parler, il n'est plus que "douleurs", *ce n'est plus notre père,* si au moins, il pouvait dormir... Dormir, est-ce qu'on ne peut pas le faire dormir pro-fon-dé-ment ?. » Devant notre silence, la fille, aide soignante, qui a pris la parole d'emblée et dont le visage trahit la tension extrême et l'épuisement, ne peut contenir sa révolte : « Les docteurs ne s'occupent pas des malades qu'ils ne peuvent plus guérir. C'est à nous, infirmières et aides soignantes, d'assumer seules ces fins de vie atroces. Nous n'en pouvons plus, et si nous sommes là, *c'est que nous ne voulons pas de cela pour notre père,* c'est révoltant, nous nous plaindrons. » À ce moment, la deuxième fille, d'une voix calme et mesurée prend la parole : « Il faut comprendre, Docteur, nous sommes tous à bout de force depuis des semaines que cela dure. Ma sœur est aide soignante, elle s'est beaucoup donnée, plus que tous. »

Après que chacun s'est exprimé, le médecin va tenter d'expliquer et de faire accepter son attitude thérapeutique d'accompagnement.

« Je comprends votre colère, elle est le résultat d'une grande souffrance et d'un épuisement physique et moral. Vous n'avez pas à vous culpabiliser d'hospitaliser votre père. Vous l'avez entouré avec amour et tendresse, vous avez bien agi. Mais il est temps de passer la main ; je viens de l'examiner, il a besoin de soins 24 heures sur 24 : franchement il n'était plus possible d'éviter l'hospitalisation. Pour lui, comme pour vous, c'est mieux ainsi. *Je vous assure que tout sera fait pour le soulager et que rien ne sera fait pour prolonger sa souffrance.* Je vous invite aussi, pas tous à la fois, le ou la plus valide d'entre vous aujourd'hui, à rester à côté du malade et à vous relayer ensuite de façon à assurer une présence continue auprès de lui. » Le patient décédera au bout de 5 jours, n'ayant plus souffert, assisté de sa famille jusqu'au bout. Celle-ci, reconnaissante, nous adressera une lettre de remerciement.

Hélas, l'issue d'une telle négociation n'est pas toujours gagnée d'avance. Nous nous souvenons d'un cas tout à fait similaire – le malade avait été hospitalisé durant la nuit. Tôt le matin, toute la famille se retrouve dans le service et réclame de toute urgence l'administration d'un « cocktail lytique ». Devant le refus de l'infirmière et de la surveillante, nous sommes appelés en renfort mais ne parviendrons pas à être entendus. La famille « kidnappera » son malade, l'emmenant avec son lit dans un autre service où elle avait reçu l'assurance d'obtenir ce qu'elle souhaitait...

Si l'épuisement et la souffrance sont les causes principales de telles demandes, certaines familles ont des motivations moins nobles, le plus souvent inavouées.

La demande d'euthanasie intéressée. Nous avons le souvenir d'un homme âgé, atteint d'une maladie incurable qu'il supportait vaillamment, gardant toutes ses facultés intellectuelles et son autonomie jusqu'à la phase terminale. À plusieurs reprises, nous avons dû affronter les demandes pressantes de son fils désireux que nous « abrégions » les souffrances de son père... La date de son départ pour une croisière avec son épouse était imminente.

4. **Les soignants.** – Il peut arriver aussi que les aides soignants, les infirmières, les médecins ne supportent plus certaines situations et en souhaitent la fin : malade en proie à une souffrance globale, insuffisamment soulagé, malade totalement détruit par une souffrance morale imperméable à toute tentative d'apaisement, ou bien épuisement de l'équipe à la suite de plusieurs décès successifs, sentiment d'inutilité des efforts entrepris ou d'abandon, de la part du corps médical, lui-même divisé sur la conduite à tenir.

Le péril de l'hésitation. Cet homme avait contracté à l'âge de 35 ans une maladie de Hodgkin dont il avait guéri. Dix années plus tard apparut une maladie des muscles qui allait, malgré tous les traitements entrepris, le conduire, au bout de 15 ans à un état grabataire et, à l'époque de sa dernière hospitalisation, à une insuffisance respiratoire sévère. Fallait-il le transférer en réanimation avec la quasi-certitude de le condamner à y terminer son existence, alors que nous venions de découvrir une leucémie aiguë incurable et rapidement mortelle ? Bien qu'épuisé, le malade gardait sa lucidité, oscillant de l'espoir au désespoir, désirant un jour « le traitement de la dernière chance » et le lendemain qu'on le laisse « en paix ». L'équipe était divisée sur la conduite à tenir. La souffrance morale du malade s'aggravait, résistant à tous nos efforts. En l'absence de consensus dans l'équipe, mais avec le consentement du malade et de sa famille, la décision était prise de l'endormir. Il mourra quelques jours plus tard de sa mort naturelle. Mais l'équipe n'a pas oublié ce malade et a gardé le souvenir de sa souffrance aggravée par nos hésitations.

Chapitre III

LES SOINS PALLIATIFS

Soigner ne peut consister à donner la mort. Si la décision de faire mourir avant l'heure devait entrer dans les prérogatives médicales, la confiance des grabataires, des vieillards dépendants, des infirmes en leur médecin serait aussitôt ruinée (Beignier). Les soins palliatifs (SP) constituent donc la meilleure réponse à une demande d'euthanasie. Pour le comprendre, il faut examiner leurs caractéristiques propres.

I. – Les soins palliatifs s'appliquent à tous les grands malades

Aux cancéreux, bien sûr, aux malades du sida, mais aussi aux malades jeunes ou moins jeunes, atteints d'insuffisance respiratoire, cardiaque, rénale, hépatique, aux malades porteurs d'affections neurologiques diverses (Alzheimer, sclérose latérale amyotrophique), et à bien d'autres encore.

II. – Les soins palliatifs sont des soins actifs qui réclament une compétence technique et scientifique

Cicely Saunders, la fondatrice du Saint Christopher's Hospice de Londres, précise que les SP sont étroitement liés aux soins curatifs dans une « conti- nuité des soins qui se poursuivent auprès de la fa- mille et des soignants avec un travail de deuil » (Saunders). « Prescrire un soin palliatif, ce n'est pas ignorer les soins curatifs possibles, c'est savoir op- ter pour une qualité de vie quand le mot "guérison" perd petit à petit son sens, c'est déplacer les buts à atteindre, remplacer progressivement durée par qualité » (Salamagne). Entre soins curatifs et soins palliatifs, la frontière est mouvante.

Une femme âgée nous est adressée pour une phase terminale d'un cancer généralisé. Très vite, ses douleurs sont soulagées mais des complications surviennent qui nous conduisent à refaire une IRM vertébrale et des biopsies osseuses. Le diagnostic est révisé, il s'agit d'un lymphome et non d'un cancer. La malade est transférée dans le service spécialisé où la chimiothérapie lui procure rapide- ment une rémission. Les SP sont des soins actifs qui excluent la résignation. « Faire tout ce qui reste à faire » implique une permanente et exi- geante attention à tout ce qui peut être fait, sans exclure une éventuelle révision de la stratégie dia- gnostique et thérapeutique.

III. – Caractères des soins palliatifs

1. **La lutte contre la douleur.** – Tout doit être mis en œuvre pour abolir la douleur. Cette priorité re- quiert un examen minutieux, un diagnostic précis, une évaluation *pluriquotidienne* de l'efficacité antal- gique, et une parfaite maîtrise de tous les médica-

ments : morphine et ses dérivés, mais aussi radiothérapie, chirurgie de consolidation, neurostimulation électrique, blocs nerveux loco-régionaux...

2. **Le contrôle de tous les symptômes sources d'inconfort.** – Fatigue, amaigrissement, fièvre, troubles bucco-pharyngés, œsophagiens, troubles digestifs à type de nausées et vomissements, constipation, voire occlusion, diarrhée, troubles respiratoires : dyspnée, toux, encombrement bronchique ; troubles urinaires : rétention et incontinence ; troubles cutanés : prurit, escarres qu'il faut prévenir à tout prix, ulcération, sueurs ; troubles neuropsychiques : insomnie, angoisse, agitation, confusion, etc. : tous ces symptômes ont des causes diverses, parfois imbriquées, dont dépend le traitement.

3. **Une exigence de juste compassion.** – La souffrance du malade en fin de vie est indicible : c'est la *« souffrance globale »*. La meilleure aide à lui apporter est de le respecter, de le considérer, malgré ses handicaps, tel qu'il a toujours été, et de lui montrer jusqu'au bout qu'il est toujours aimé des siens et le restera après sa mort. Cette tâche est lourde. Les soignants, qui y sont peu préparés, doivent trouver une compassion équilibrée. D'autre part, le médecin n'est plus le maître. C'est le malade qui a la parole, et la mort, le dernier mot (Schaerer). Les soins palliatifs requièrent une formation et une équipe pluridisciplinaires : médecin, psychologue, infirmier, aide soignant, religieux, assistant social, bénévole.

4. Le bilan des soins palliatifs.

A) *La demande d'euthanasie est exceptionnelle lorsque le malade est bien accompagné.* – Au Saint Christopher's Hospice de Londres, des milliers de malades en fin de vie ont été entourés, soutenus, *sans qu'aucune demande d'euthanasie ait été formulée.* À l'unité de Soins palliatifs de Montréal, sur les 2 500 personnes décédées en huit années, seulement deux ont réclamé l'euthanasie. Le meilleur contrôle de leurs douleurs leur a permis d'y renoncer (Abiven, 2000).

B) *La mort, étape essentielle de la vie.* – Les soins palliatifs permettent à certains grands malades, accompagnés avec compétence et humilité, empathie et compassion, de faire de leur dernière marche une étape essentielle de la vie : lui donner un dernier sens, conclure un projet, se réconcilier avec un proche... réunir pour un dernier adieu leur famille et tous ceux qui leur sont chers.

C) *Les difficultés.* – Les soins palliatifs ne sont pas encore reconnus comme une spécialité et souffrent d'un grave manque de moyens pour bien fonctionner. D'autre part, il est honteux que le système de cotation exigé de l'administration (PMSI : Programme de médicalisation du système d'information), système dont l'objectif est d'évaluer l'activité d'un service à partir d'un nombre de points (cotation), attribue aux soins palliatifs une cotation très inférieure à celle d'un simple acte d'exploration (échographie, scanner...) qui ne demande pas plus d'une demi-heure. C'est décourager les soignants dont l'investissement personnel et l'engagement solidaire sont particulièrement forts et éprouvants.

D) *Les échecs.* – Les pratiques palliatives peuvent comporter des échecs. Les causes en sont certaines douleurs résistantes à toutes les thérapeutiques antalgiques bien conduites et surtout certaines souffrances morales irréductibles. Dans ces cas exceptionnels, on peut avoir recours au « sommeil induit », grâce à l'utilisation de sédatifs visant à faire dormir et non à abréger la vie, tout en poursuivant l'hydratation. Mais prendre une telle décision réclame plusieurs conditions : s'être assuré qu'il n'y a plus d'autre solution pour apaiser le malade, avoir recueilli l'accord de l'ensemble de l'équipe médicale, l'avoir expliquée au malade et ne l'appliquer qu'avec son accord, en lui précisant bien qu'il ne s'agit pas de le faire mourir « proprement » mais de le faire dormir. Il est d'ailleurs possible parfois, avec l'accord préalable du malade, de le réveiller au bout de quelques jours, et de constater un net apaisement de sa souffrance. L'intention n'est pas d'accélérer le trépas, mais d'apaiser le patient et de laisser la mort naturelle venir.

De grands progrès ont été réalisés dont les malades sont les premiers bénéficiaires. Mais la technicisation a ses revers. Privilégier la qualité de la vie est désormais un impératif pour tous les médecins. Une réaction humaniste se dessine, dont le mouvement des soins palliatifs est un exemple. Envisager de développer les soins palliatifs, la réflexion éthique et le dialogue en équipe, et se préparer à les enseigner aux étudiants en médecine, aux médecins spécialistes et aux infirmières, constitue sans doute l'un des enjeux importants de la médecine et de la société à venir.

Chapitre IV

HISTOIRE ET DÉFINITION
D'UN MOT

I. – Histoire philosophique de l'euthanasie

L'histoire du mot et de la pratique qu'il recouvre (Abiven, 19-46 ; Aurenche, 14-18 ; Hocquard, 5-12 ; Maret, 15-32, 335-341) révèle quatre sens : l'art d'une mort douce, puis les euthanasies utilitariste, eugéniste et compassionnelle.

1. La mort douce et son art.

A) *L'Antiquité : l'euthanasie, ou belle mort, entre mort douce et suicide.* – Le poète grec Cratinos (ve s. av. J.-C.) emploie l'adverbe *euthanatôs* pour désigner aussi bien une belle mort qu'une mort douce. Chez Posidippe (vers 300 av. J.-C.), *euthanasia* signifie autant « bonne mort » que « mort douce » : l'homme « ne désire rien de mieux qu'une mort douce » (Fragment 16). Suétone (63 av. J.-C., 14 apr. J.-C., *Vie des douze Césars,* « Auguste », 99) rapporte que l'empereur Auguste, expirant dans les bras de Livie, eut l'*euthanasia* (mort rapide et sans souffrance) qu'il avait toujours souhaitée.

Mais une mort violente, un suicide, une reddition suicidaire peuvent être jugés préférables, c'est-à-dire bons, sans être doux. L'historien grec

Polybe prête au roi de Sparte Cléomène, après son échec militaire, le désir de se suicider pour trouver une mort belle et honorable *(euthanatesai)* plutôt que de tomber entre les mains de ses ennemis (Polybe (202-120 av. J.-C.), *Histoires,* V, 38, 9). Cicéron (106-43 av. J.-C.) paraît avoir souhaité une bonne mort *(euthanasian)* dont Atticus lui écrit qu'elle ressemblerait à une désertion (*Lettres à Atticus,* XVI, 7, 3). Flavius Joseph raconte l'histoire de ces quatre lépreux qui préférèrent avoir une mort « plus douce » en se rendant à l'ennemi pour périr égorgés, plutôt qu'en mourant d'inanition hors de la ville (*Antiquités juives,* IX, 4, 5).

Le terme d'*euthanasie* oscille donc entre deux significations opposées, celle de « mort douce » et celle de « suicide », jugé préférable à une mort plus pénible.

B) *Bacon et l'art médical de la mort douce : les soins palliatifs.* – Dans deux textes, presque semblables, de 1605 et 1623, Francis Bacon, homme d'État et philosophe anglais (1561-1626), assigne à la médecine une double tâche, celle de soigner, et celle d'adoucir la douleur, y compris au moment de la mort. Le terme d'*euthanasie* y apparaît au sens de « mort douce entourée de soins » : « *De euthanasia exteriore* [De l'euthanasie physique]. Plus encore, j'estime que c'est la tâche du médecin non seulement de faire recouvrer la santé, mais encore d'atténuer la souffrance et les douleurs, non seulement quand un tel adoucissement est propice à la guérison, mais aussi quand il peut aider à trépasser paisiblement et facilement », à la manière d'Auguste, d'Antonin le Pieux et d'Épicure, dont les morts ressemblèrent beaucoup « à un endormissement bénin et agréable ». Les médecins devraient ainsi « faciliter et adoucir l'agonie et les souffrances de la mort » (Bacon (1605), *Du progrès et de la promotion des savoirs,* liv. II, Paris, Gallimard, 1991, p. 150-151). En 1623, Bacon réaffirme que la tâche du médecin n'est pas seulement de rétablir la santé, mais aussi d'adoucir les douleurs des maladies, jusqu'à procurer au malade, lorsqu'il n'y a plus d'espoir de guérison, « une mort douce et paisible » ; au lieu d'abandonner leurs malades lorsqu'ils sont à l'extrémité, les médecins devraient tout faire « pour aider les agonisants à sortir de ce monde avec plus de douceur et de facilité ». Cette recherche sur l'euthanasie extérieure qui prépare le corps, distincte de l'euthanasie intérieure qui a pour objet la préparation de l'âme, fait partie de ce qu'il faut souhaiter (F. Bacon (1623), *De dignitate et augmentis scientiarum libri novem (De la dignité et de l'accroissement des sciences), Instauratio magna,* l, IV, 2). Les exemples pris par Bacon et ses explications ne laissent donc aucun doute : l'euthanasie du corps consiste en une maîtrise de la douleur. Il ne s'agit pas de hâter la mort, mais de faire en sorte, lorsqu'elle viendra, qu'elle agisse sans douleur.

2. **L'euthanasie utilitariste.** – Au sens très général que John Stuart Mill (1806-1873), reprenant Bentham (1748-1832), donne à ce mot, l'utilita-

risme désigne la doctrine « qui reconnaît l'utilité comme règle, sans vouloir désigner par là telle ou telle façon d'appliquer cette règle » (J. S. Mill (1863), p. 48-49). L'utilitarisme soutient que « la seule chose désirable comme fin est le bonheur, c'est-à-dire le plaisir et l'absence de douleur » (*ibid.,* p. 48). Lorsque la douleur l'emporte sur le plaisir, la vie devient inutile. Lorsque cette inutilité est définitive ou sans issue, il convient, pense l'utilitariste, d'y mettre un terme.

Cette conception utilitariste est très ancienne. Déjà, à Sparte, d'après Plutarque (46-125 apr. J.-C.), un père n'était pas maître d'élever l'enfant qui lui naissait. Il le confiait aux plus anciens qui examinaient le nouveau-né. S'il était fort et bien formé, ils ordonnaient de l'élever et lui assignaient un des neuf mille lots de terre. S'il était faible ou difforme, ils l'envoyaient au bord d'un précipice, jugeant cela préférable pour lui-même et pour tous (« Vie de Lycurgue », *Vies parallèles,* Paris, Les Belles Lettres, t. I, p. 143). Strabon (58 av. J.-C.-25 apr. J. C.) rapporte que tout habitant de Céos qui atteignait l'âge de 60 ans devait boire la ciguë afin que la nourriture soit toujours suffisante pour tous (*Géographie,* VII, 10, 5, 6, Paris, Les Belles Lettres, 1971, p. 110). D'après Valère Maxime, un poison à base de ciguë, préparé et conservé dans les services de l'Assistance publique de Marseille, était donné à qui avait exposé devant les Six Cents (Sénat de la ville) les raisons pour lesquelles il lui fallait se donner la mort : « Procédure courageuse tempérée de bonté, ne permettant pas qu'on quitte la vie sans raison tout en offrant à celui qui sait clairement pourquoi il désire en sortir un moyen rapide de réaliser son destin » (Valère Maxime (Ier s. av. J.-C.-Ier s. apr. J.-C.), *Faits et dits mémorables,* II, VI, 7 *d,* Paris, Les Belles Lettres, 1995, t. I, p. 181-182).

On retrouve cette attitude dans une page d'*Utopie* de Thomas More (1478-1535). Si la maladie, incurable, s'accompagne de souffrances incessantes et atroces, les prêtres et les magistrats exhortent le malade, devenu une charge pour lui-même et pour tous, à accepter la mort et à se débarrasser lui-même de la vie ou à inviter les autres à l'en délivrer. Il fera preuve de sagesse en quittant des douleurs atroces, et de piété en suivant les conseils des prêtres, interprètes de la divinité. Il peut alors cesser de se nourrir ou se faire endormir. Personne cependant ne sera mis à mort contre son gré, ni ne cessera d'être soigné. Mais on refusera la sépulture à quiconque déciderait de se faire mourir sans que ses raisons aient été approuvées par les prêtres et par le Sénat (Thomas More (1516), *Utopie,* éd. A. Prévost, Paris, 1978, p. 549). Cette page ne doit pas être comprise comme une apologie du suicide auquel Thomas More était fermement opposé, mais comme la description du système de pensée purement rationnel des Utopiens (ceux qui habitent *Ou-topia,* le non-lieu) qui, pour être heureux, construisent un monde purement utilitariste (*ibid.,* p. 189 et 699).

Enfin, chez les Esquimaux de Nunaga, les Yuit des îles Saint-Laurent ou les Chuckchee du nord-est de la Sibérie, l'euthanasie est décrite comme une institution. L'homme ou la femme âgée, lorsqu'ils n'arrivent plus à courir derrière les chiens et ne peuvent plus apporter aucune contribution à la famille, demandent généralement à leur fils favori de les aider à mourir, d'un coup de fusil, de couteau ou de harpon, par étranglement ou pendaison. Chez les Chuckchee du nord-est de la Sibérie, celui qui n'a plus la force de vivre ou qui est un poids pour les autres demande ouvertement qu'on le tue. Cette demande suscite une grande peur, mais aussi l'obligation morale d'y répondre. Si cette demande est maintenue, elle devient irréversible, car elle a provoqué les Kelet ou mauvais esprits qui ne se calmeront pas tant que quelqu'un ne sera pas mort. Cette demande de mort crée donc une menace collective. Lorsque la décision est prise et que l'exécuteur est désigné, la cérémonie a lieu très rapidement (J. Baechler (1975), *Les suicides,* Paris, p. 506).

3. **L'euthanasie eugéniste : hygiénistes, eugénistes et crimes d'États.** – Dans le prolongement du mouvement hygiéniste des années 1830-1840, un cousin de Charles Darwin, Sir Francis Galton (1822-1911), crée en 1883 le terme d' *eugénique* (*eugenics,* construit sur le grec *bien naître*), pour désigner une science de l'amélioration de la lignée permettant d'améliorer l'hérédité de l'espèce humaine en luttant contre les facteurs de dégénérescence. En 1888, Georges Vacher de Lapouge appelle *eugénisme* le résultat de cette eugénique. Un peu partout en Europe, des médecins et des biologistes, soute-

nus par un important mouvement populaire, créent des sociétés et des revues d'eugénisme. De 1907 à 1940, de nombreux États (35 États des États-Unis, deux provinces canadiennes, l'Allemagne, le Danemark, la Finlande, la Norvège, la Suède et la Suisse) promulguèrent des lois de stérilisation, volontaire ou imposée, de personnes affectées de maladies présumées héréditaires jugées dangereuses pour la société (maladies mentales, délits sexuels, tendances dites socialement dangereuses) (Michel Morange, « Eugénisme », *in* M. Canto-Sperber, 1996 ; Michel Veuille, « Eugénisme », *in* D. Lecourt, 1999). En 1912, année où la Société française d'eugénisme est créée, Charles Richet, prix Nobel de médecine et de physiologie en 1913, écrit dans *La Sélection naturelle* qu'il « ne voit aucune nécessité sociale à conserver [les] enfants anormaux ». En 1920, Karl Binding, juriste, et Alfred Hoche, psychiatre, publient à Leipzig *Die Freigabe der Vernichtung lebensunwerten Lebens (De la libre destruction d'une vie qui ne vaut pas d'être vécue)*.

Hitler reprend ces thèses dans *Mein Kampf* en 1924. À partir de 1933, l'opinion est préparée. Toute vie improductive est considérée comme une vie sans valeur (congrès d'avril 1933 réunissant à Brême près de 500 eugénistes). Un Comité d'euthanasie est créé à la demande d'Hitler. Dirigé par le Pr Linden, il comprend 25 médecins, dont 7 sont titulaires d'une chaire de neurologie et de psychiatrie. Le 1er septembre 1939, Hitler lance l' « Aktion T4 » (dirigée depuis l'immeuble situé 4, Tiergartenstrasse à Berlin), appelée aussi « Aktion

Gnadentot », pour donner, littéralement, la « grâce de la mort » aux malades mentaux. La sélection des malades s'effectue sur la base d'un questionnaire adressé aux directeurs d'hôpitaux et d'asiles sur la capacité de travail de leurs patients. Les malades déclarés inaptes au travail (soit parce qu'ils le sont, soit parce que de nombreux directeurs d'hôpitaux espèrent ainsi les protéger) sont envoyés dans des *Fondations charitables pour les soins hospitaliers* où ils sont mis à mort. Leur avis de décès mentionne le plus souvent une broncho-pneumonie ou un amaigrissement. Le transport des malades est assuré par une société créée à cet effet. Les bâtiments sont entourés de grands panneaux signalant le risque de contagion afin d'éloigner les curieux. Le personnel médical et paramédical, recruté sur la base du volontariat, doit prêter serment d'obéissance et de secret. Toute violation de ce serment euthanasique est passible de mort. Devant l'opposition des autorités religieuses, d'une partie de l'armée, d'un nombre croissant de médecins, Hitler arrête l'opération le 24 août 1941. Elle a déjà tué plus de 100 000 handicapés et environ 75 000 personnes âgées (F. Bayle (1950), *Croix gammée contre caducée. Les expériences humaines en Allemagne pendant la Seconde Guerre mondiale,* Imprimerie nationale, Neustadt-Palatinat, 1 521 p. ; Ternon et Helman (1971), *Le massacre des aliénés,* Casterman ; Abiven, p. 36-44). En France, on estime à 40 000 le nombre de malades mentaux que le régime de Vichy a laissés mourir de faim dans les hôpitaux psychiatriques (Abiven, p. 39).

Dans les années d'après guerre, la révélation des crimes commis au nom d'une euthanasie d'État et d'un eugénisme d'État eut tendance à discréditer toute forme d'euthanasie dite humanitaire. L'ouvrage de C. Binet-Sanglé, *L'art de mourir. Défense et technique du suicide secondé,* qui reprenait en 1919 les arguments d'un droit au suicide assisté et décrivait plusieurs techniques de suicide sans douleur, recommandait également la création d'un *institut d'euthanasie* financé par l'État, dans lequel officieraient des *euthanasistes.* Qu'elles soient encadrées ou clandestines, secondées ou non, ces pratiques renvoyaient toujours à la mémoire de crimes hygiénistes et eugénistes d'État.

Une vingtaine d'années plus tard, plusieurs procès émurent l'opinion (Van de Putte, Liège, 1962 ; Livio Daviani, Rome, 1970 : noyade par son père d'un enfant malformé dans le Tibre). Les auteurs des homicides furent acquittés. Bien que ces homicides ne soient en aucune façon des euthanasies, et qu'ils ne soient perpétrés ni pour améliorer la lignée, ni pour remédier à une insupportable souffrance, ils ont contribué à faire avancer l'idée d'euthanasie.

4. L'euthanasie compassionnelle.

A) *Les six Russes de l'Hôtel-Dieu que Pasteur ne parvient pas à soigner.* – Léon Daudet, jeune étudiant en médecine, décrit cet épisode exemplaire. Pasteur venait de découvrir le traitement de la rage. Six paysans russes mordus par un loup enragé furent expédiés à Paris et placés en surveillance à l'Hôtel-Dieu. Pendant huit jours, Pasteur vint doser les injections de son sérum. À partir du neuvième jour, les tortures de la rage s'abattent sur eux en crises insoutenables qui disloquent les corps de douleur. Pendant les répits, ils supplient qu'on les achève. « Après une consultation entre le pharmacien en chef de l'hôpital (…) et Pasteur, on s'y résolut. Le pharmacien prépara cinq pilules – le premier enragé étant mort enfin – qui furent administrées aux cinq autres avec toute la discrétion d'usage en pareil cas. Quand le silence retomba (…), nous nous mîmes tous à pleurer d'horreur. Nous étions à bout de nerfs, anéantis » (L. Daudet (1915), *Souvenirs des milieux littéraires, politiques, artistiques et médicaux,* chap. II, « Devant la douleur », Paris, Robert Laffont, coll. « Bouquins », p. 171).

La décision prise est à la fois secrète et collégiale, *particulière* tout en appartenant à un *genre* de décisions analogues. Est-il légitime de passer du genre à la loi, ou bien les motifs sont-ils à chaque fois si singuliers qu'ils ne peuvent être reconnus que par une ou plusieurs consciences qu'aucune loi civile ne pourra jamais contraindre ? La compassion peut-elle être ici revendiquée comme un droit ?

B) *L'euthanasie compassionnelle revendiquée comme un droit.* – De nombreuses déclarations s'élevèrent au XXe siècle en faveur de l'euthanasie compassionnelle. À la suite de la création en 1935, en Angleterre, de la *Voluntary Euthanasia Associa-*

tion (VES), qui prit plus tard le nom d'EXIT, et, en 1938, aux États-Unis, de la *Society for the Right to Die* (SRD), qui prit en 1975 le nom d'*Euthanasia Society of America,* plusieurs associations voient le jour dans le monde à la fin des années 1970, réclamant le droit à mourir dans la dignité. Ces associations, regroupées dans la *World Federation of Right-to-Die Societies* (Fédération mondiale des Associations pour le droit de mourir), comptent aujourd'hui environ 500 000 membres dans le monde, dont environ 60 000 en Suisse et 25 000 en France.

Le Figaro publia le 1er juillet 1974 un manifeste en faveur d'un droit à l'euthanasie, signé par 40 universitaires, médecins et pasteurs, dont trois prix Nobel : George Thomson, Linus Pauling et Jacques Monod : « Nous soussignés, nous déclarons, pour des raisons éthiques, en faveur de l'euthanasie. Nous croyons que la conscience morale réfléchie est assez développée dans nos sociétés pour permettre d'élaborer une règle de conduite humanitaire en ce qui concerne la mort et les mourants. Nous déplorons la morale insensible et les restrictions légales qui font obstacle à l'examen du cas éthique que constitue l'euthanasie. » Les signataires demandent à l'opinion publique éclairée de dépasser les tabous traditionnels qui imposent des souffrances inutiles au moment de la mort. Ils croient à la valeur et à la dignité de l'individu, revendiquent son droit d'être traité avec respect et sa liberté de se suicider s'il est atteint d'une terrible et incurable maladie. Si elle est voulue par le malade, la pratique de cette euthanasie humanitaire dans un souci de justice et de bonté améliorera la condition humaine.

Ce manifeste resta sans grand écho. Le 17 novembre 1979 parut dans le journal *Le Monde,* occupant toute la page 2, un article de Michel Lee Landa intitulé « Un droit », affirmant la nécessité de reconnaître aux grands vieillards, aux grands malades et aux grands infirmes le droit de mourir volontairement et d'y être aidés. L'abondant courrier qui suivit cet article donna naissance, au printemps 1980, à l'Association pour le droit à mourir dans la dignité (ADMD). Trois ans après sa création, l'ADMD comptait près de 10 000 membres. L'ADMD ne s'occupe pas directement de ses adhérents, mais est « un mouvement d'opinion dont le but est de faire évoluer les idées, les comportements, les réglementations et éventuellement les lois, pour que les êtres humains puissent mourir dans les conditions qu'ils jugent les meilleures pour eux-mêmes » (Pohier, 1998, p. 319). L'article 1er de ses statuts stipule : « L'Association a pour but : de promouvoir le droit légal et social de disposer, de façon libre et réfléchie, de sa personne, de son corps et de sa vie ; de choisir librement la façon de terminer sa vie, de manière à la vivre jusqu'à la fin dans les conditions les meilleures » *(ibid.).* « Les trois objectifs essentiels sont donc ici formulés : le droit à la lutte contre la douleur, le droit au refus de l'acharnement thérapeutique et le droit à l'euthanasie volontaire, chaque adhérent étant libre de ne réclamer pour lui-même que l'un ou l'autre de ces droits, mais reconnaissant que l'Association doit lutter pour que l'ensemble de ces trois droits soit reconnu et praticable pour tous ceux qui le réclameraient » (*ibid.,* p. 320).

Dans les années 1980, le Dr Julius Hacketal ouvre la clinique Eubios, près de Munich, pour des patients qui demandent une assistance au suicide. Le Dr Peter Admiraal fait de même dans une section de l'hôpital Saint-Hippolyte à Delft (ND). En 1990, le Dr Jack Kevorkian (Detroit, Michigan) élabore une machine à se suicider qu'il appelle le Mercytron, composé de trois flacons à perfusion ; l'un, de sérum pour dilater les veines ; l'autre, de pendothal pour anesthésier le patient ; le troisième, de potassium pour provoquer l'arrêt cardiaque qui survient dans les cinq minutes. Quatre fois inculpé pour assistance au suicide, et quatre fois acquitté, le Dr Kevorkian a été condamné le 13 avril 1999 à une peine de dix à vingt-cinq ans d'emprisonnement pour le meurtre au second degré de Thomas Youk le 17 septembre 1998. La qualification d' « assistance au suicide » n'a pu être retenue, car le médecin a déclaré n'avoir jamais compris un mot de ce que disait son patient.

II. – **Problèmes de définition**

1. **Cinq types d'actes médicaux possibles en fin de vie.** – De manière très schématique, cinq actes médicaux très différents sont possibles sur une personne hospitalisée, ou médicalisée à domicile, lorsqu'elle est au seuil de sa vie et qu'elle souffre terri-

blement. Ces actes, de ceux qui posent le moins de problèmes à ceux qui en posent le plus, sont :

(1) L'administration d'analgésiques à des doses élevées qui accélèrent éventuellement le décès ;
(2) La limitation ou l'abstention des traitements actifs ou des traitements de réanimation ;
(3) L'arrêt des dispositifs de survie artificielle (débrancher un respirateur ou un rein artificiels) ;
(4) L'aide au suicide ou suicide assisté ;
(5) L'injection d'une substance mortelle.

Trois modes d'expression de la volonté du patient existent logiquement pour chacun de ces cinq actes : soit il est effectué sur un patient qui le veut, soit il l'est sur un patient qui est hors d'état d'exprimer sa volonté, soit il l'est sur un patient qui ne le veut pas. L'acte peut être ainsi *volontaire* (à la demande du patient), *involontaire* (sans demande du patient), ou *non volontaire* (contre la demande du patient).

Cette présentation très schématique appelle une remarque et soulève au moins deux problèmes pratiques. La remarque : pour qu'une absence de traitement puisse être appelée un acte, il faut qu'elle soit le résultat d'une décision médicale et non d'une négligence. Quant aux deux problèmes pratiques, ils viennent de l'association éventuelle de plusieurs types d'actes. Si l'on associe (1) et (5), une surdose d'analgésiques peut être mortelle ; or l'accoutumance impose d'augmenter les doses ; vient un moment où, entre l'administration d'un cocktail d'analgésiques et d'un cocktail lytique, il n'y a plus aucune différence ni de geste, ni de conscience, puisque l'anticipation du résultat (la mort) est présente à l'identique dans la conscience de celui qui fait le geste. Enfin, il est, semble-t-il, courant que l'arrêt d'un respirateur artificiel (3) soit associé à ou, plutôt, soit juste précédé de l'injection d'une substance létale (5), afin d'épargner à la personne la très grande douleur d'une mort par étouffement.

Qu'appeler ici *euthanasie* ? Deux thèses s'affrontent La première, soutenue par les associations de développement des soins palliatifs (JALMALV, SFAP) et par l'ensemble des autorités religieuses (à l'exception, peut-être, de certains protestants), affirme l'existence d'une rupture radicale entre les trois premières situations, qui sont des actes de soins au service d'une personne le plus possible protégée contre la douleur et l'acharnement thérapeutique, et les deux dernières qui sont respectivement une aide au suicide et un assassinat ou meurtre avec préméditation. La seconde thèse, soutenue par les signataires de l'appel des 132 du 12 janvier 1999 paru dans *France-Soir,* par les associations pour le droit à mourir dans la dignité (ADMD), par la Libre-Pensée, par les libres exaministes belges, estime qu'il existe une continuité fondamentale entre ces cinq situations qui sont toutes les cinq des actes d'euthanasie : l'analgésie à dose maximale, parce que le médecin sait très bien ce qui va se passer (la mort par escalade de doses) *et le fait* ; la seconde et la troisième, parce que l'abstention d'un traitement ou l'arrêt d'un respirateur artificiel précipitent la mort, *et que le médecin le sait.* La théorie du double effet (voir, ici même, chap. VI, I), qui sert d'argument aux tenants de la thèse discontinuiste, est refusée par les tenants de la thèse continuiste comme une hypocrisie.

2. **Essai d'une définition rigoureuse.** – Une définition de l'euthanasie doit-elle varier en fonction des cas très divers auxquels elle s'applique, ou bien peut-elle être énoncée indépendamment de cette diversité ?

Il est courant de distinguer l'euthanasie *active* (acte de tuer délibérément une personne malade, à sa demande ou non, en fonction de son état et de sa douleur physique et morale, acte auquel nous pouvons rattacher les actions nécessaires à l'assistance au suicide) et l'euthanasie *passive,* dont les trois modalités principales consistent à débrancher un appareil dont l'arrêt provoque la mort, ou à limiter un traitement ou l'usage d'une machine, ou à prescrire un traitement anti-douleur dont la nécessaire escalade de doses induit la mort. En pratique cependant, cette distinction est confuse. Chacun sait que le crime peut être dissimulé. Plus radicalement, J. Rachels, dans un célèbre article (« Active and passive euthanasia », *The New England Journal of Medicine,* 9 janvier 1975, 292, 2, 78-80), a montré que l'omission pouvait être tout aussi coupable que l'action. La réalité de l'acte euthanasique dépend-elle seulement de la versatilité d'une intention ?

La résolution de cette question ne requiert pas l'étude préalable de toutes les situations possibles dans lesquelles la question euthanasique peut se poser. Elle est d'abord conceptuelle. Il faut donc envisager la question euthanasique aussi radicalement qu'elle se pose toujours, sans faire disparaître l'âpreté du concept d'euthanasie dans un arbre de distinctions qui fractionnent et obscurcissent la perception qu'en peut avoir la conscience. Est-il légitime d'admettre l'homicide compassionnel sous certaines conditions ? Lorsque la douleur est intolérable, que vaut l'interdit du meurtre ?

Pour maintenir l'exigence de ces questions, nous entendrons ici l'euthanasie comme l'acte ou l'omission dont l'intention première vise la mort d'un malade pour supprimer sa douleur. Cette définition fournit un critère simple à la conscience : l'euthanasie est une mort imposée qui s'oppose à la mort naturelle.

Certes, il peut arriver que la coexistence de plusieurs types de motifs obscurcisse la véritable intention de l'acteur à ses propres yeux comme à ceux d'autrui. Mais croire que la réalité serait continue entre l'euthanasie active et l'euthanasie passive reviendrait à annuler toute différence entre la mort naturelle et la mort imposée, et par là toute notion d'action, d'intention et de conscience morale. La définition employée permet de mettre au jour la différence d'intention et de résultat objectifs entre une mort causée sans être voulue et une mort voulue et imposée. Le test kantien de la possibilité d'universaliser la maxime de ma volonté (« Agis de telle sorte que tu puisses vouloir que la maxime de ton action devienne une loi universelle », *Fondements de* la *métaphysique des mœurs,* II) peut alors être appliqué dans le cadre d'une telle définition, et éclairer la conscience pour savoir dans quel type d'acte elle se trouve.

Certains cependant, avant de se fier à l'existence problématique d'un quelconque « instinct divin » (Rousseau, *Émile,* IV) qui s'exprimerait au sein de la conscience, auront à cœur de connaître le point de vue des différentes autorités religieuses et morales.

Chapitre V

LE POINT DE VUE
DES AUTORITÉS RELIGIEUSES
ET MORALES

I. – Le point de vue des autorités religieuses

1. La position des juifs. – Pour un juif (Grand Rabbin Ernest Gugenheim (1982), *Les Portes de la loi,* Paris, Albin Michel, p. 246-255), la vie est fondamentalement un don de Dieu qui a créé l'homme à son image (*Genèse,* 1, 27 et 2, 7). La vie de chaque être humain image de Dieu est donc un bien sacré. « Celui qui détruit une vie est comme s'il détruisait un monde entier » (*Michna de Sanhédrin,* 37 *a*), car un seul instant d'une vie humaine peut être celui de la conversion du pécheur. Les décisionnaires sont donc unanimes à déclarer interdit tout ce qui peut hâter la mort, même, ajoutent certains, si c'est la compassion qui inspire ce geste. Intervenir sur un malade au risque d'abréger sa vie est cependant licite si ce geste peut avoir une chance de le sauver, pourvu qu'il ne s'agisse pas d'acharnement thérapeutique.

2. La position de l'Église catholique.

A) *Trois déclarations de Pie XII.*
a) Le décret du Saint-Office du 27 novembre (2 décembre) 1940, sous la forme dépouillée des réponses

de droit canonique, se prononce sans ambiguïté, en pleine opération T4 nazie, contre l'euthanasie eugéniste des handicapés psychiques et physiques : « *Question :* Est-il licite de tuer directement, sur ordre de l'autorité publique, ceux qui, sans avoir commis aucun crime qui mérite la mort, ne sont pourtant plus en état, par suite de déficiences psychiques ou physiques, d'être utiles à la nation, et qui sont considérés au contraire comme lui étant à charge et comme faisant obstacle à sa vigueur et à sa force ? *Réponse (confirmée par le souverain pontife le 1ᵉʳ décembre) :* Non, puisque cela est contraire au droit naturel et au droit divin positif. »

b) Le Discours à des médecins sur les problèmes moraux de l'analgésie du 24 février 1957, prononcé devant près de 500 médecins du monde entier, énonce premièrement que la douleur n'est pas essentielle au salut. Sa suppression est licite et peut faciliter la prière et élever l'âme. *Il est donc légitime d'utiliser des analgésiques pour des malades en péril de mort, même si l'analgésie doit raccourcir la vie.* Deuxièmement, la privation de la conscience de soi chez les mourants est permise seulement si la douleur est trop forte, car « *il ne faut pas, sans raisons graves, priver le mourant de la conscience de soi* », c'est-à-dire le déposséder de sa mort. Troisièmement, « *toute forme d'euthanasie directe,* c'est-à-dire l'administration de narcotiques afin de provoquer ou de hâter la mort, *est illicite,* parce qu'on prétend alors disposer directement de la vie ». Les analgésiques ne doivent donc pas être utilisés pour donner la mort ou accélérer l'agonie, mais pour calmer une souffrance trop pénible à supporter. L'euthanasie est illicite parce que le suicide est illicite.

c) Le Discours sur les problèmes de la réanimation du 24 novembre 1957. Les premiers respirateurs artificiels apparaissent en 1953. Des médecins demandent à Pie XII s'il est licite ou non d'utiliser ce type d'appareil, et de le débrancher lorsqu'il paraît seul maintenir le malade en vie. Le pape répond en distinguant les *moyens ordinaires* et les *moyens extraordinaires* : l'homme, s'il est malade, a le devoir de se soigner pour conserver sa vie et sa santé, mais ce devoir « n'oblige habituellement qu'à l'emploi des moyens ordinaires (suivant les circonstances de personnes, de lieux, d'époques, de culture), c'est-à-dire de moyens qui n'imposent aucune charge extraordinaire pour soi-même et pour un autre ». Le médecin a donc le droit de pratiquer la respiration artificielle, et celui de la faire cesser lorsqu'elle se révèle inutile. Dans ce dernier cas, il n'y a pas euthanasie, car « l'interruption des tentatives de réanimation n'est jamais qu'indirectement cause de la cessation de la vie ».

B) *Sous le pontificat de Jean-Paul II.* – La *Déclaration sur l'euthanasie de la Congrégation pour la doctrine de la foi du 5 mai 1980* (D, 1980), le *Catéchisme de l'Église catholique* (C, 1992) et la lettre encyclique *L'Évangile de la vie. Sur la valeur et l'inviolabilité de la vie humaine (Evangelium vitae (EV),* 1995) sont les trois principaux textes catholiques récents sur l'euthanasie. Ils contiennent trois affirmations principales.

1 / L'euthanasie est un meurtre injustifiable. « Action ou omission qui, de soi ou dans l'intention, donne la mort afin de supprimer ainsi toute douleur » (D, 1980), l'euthanasie « constitue un meurtre gravement contraire à la dignité de la personne humaine », meurtre « toujours à proscrire et à exclure » (C, 2277).

2 / L'euthanasie relève soit d'un utilitarisme prométhéen, soit d'une perversion de la pitié. L'attitude de l'homme est « prométhéenne » lorsqu'il croit pouvoir s'ériger en maître de la vie et de la mort (*EV*, 15). Ce *pouvoir absolu* de l'homme *sur et contre les autres* est en réalité « la mort de la vraie liberté » (*EV*, 20) et correspond à une « mentalité utilitariste » (*EV*, 64) qui cherche à éviter à la société des dépenses improductives trop lourdes, ou à maximiser la possibilité de dons d'organes (*EV*, 15). Le grand respect et l'attentive protection dus aux personnes qui souffrent d'une manière intolérable s'opposent à la tentation de la fausse pitié. Même si un contexte de très grande souffrance peut conduire quelqu'un à estimer qu'il peut légitimement demander la mort ou la donner à autrui, « l'erreur de jugement de la conscience – fût-elle de bonne foi – ne modifie pas la nature du geste meurtrier, qui demeure en soi inacceptable. Les supplications de très grands malades demandant parfois la mort ne doivent pas être comprises comme l'expression d'une vraie volonté d'euthanasie ; elles sont en effet presque toujours des demandes angoissées d'aide et d'affection » (D, 1980). Collaborer à l'intention suicidaire de quelqu'un « ne peut jamais être justifié,

même si cela répond à une demande » (*EV*, 66). L'encyclique cite saint Augustin : « Il n'est jamais licite de tuer un autre, même s'il le voulait, et plus encore s'il le demandait, parce que, suspendu entre la vie et la mort, il supplie d'être aidé à libérer son âme qui lutte contre les liens du corps et désire s'en détacher ; même si le malade n'était plus en état de vivre, cela n'est pas licite » (Lettre 204, 5). Même si le motif n'est pas égoïste, l'euthanasie est « une *fausse pitié* », « une "perversion" de la pitié », car non seulement la vraie compassion rend solidaire de la souffrance d'autrui sans supprimer celui dont on ne peut supporter la souffrance, mais elle ne peut consister à tromper la confiance d'une personne affaiblie en effectuant sur elle le geste euthanasique (*EV*, 66).

3 / Les lois qui autorisent et favorisent l'euthanasie s'opposent au bien de l'individu et au bien commun. Elles sont donc dépourvues de toute véritable validité juridique. Non seulement elles ne créent aucune obligation pour la conscience, mais elles entraînent « *une obligation grave et précise de s'y opposer par l'objection de conscience* » (*EV*, 72-73). Cette obligation de désobéissance civile ne s'adresse pas aux seuls catholiques mais à tout être humain au nom des droits de l'homme.

3. **La position des musulmans.** – Les grands principes de la loi coranique sont le respect et la dignité de la vie humaine, don de Dieu, ce qui entraîne l'interdit du crime, du suicide et de l'euthanasie. L'éminente dignité de l'homme lui vient de son sta-

tut de vicaire de Dieu sur terre. Le moment de la mort est issu du seul décret de Dieu. Nul n'est autorisé à la devancer. Euthanasie et acharnement thérapeutique sont tout autant interdits.

4. **La position des orthodoxes.** – Cette position est identique à celle du Magistère catholique. Le P. John Breck (Abiven, p. 100) souligne qu'il n'y a pas de *bonne* mort, que celle-ci restera toujours tragique, de sorte que l'euthanasie « n'apporte pas de solution au problème que pose le fait de devoir mourir, si ce n'est d'avancer l'heure de l'inéluctable » (p. 101). Il ne convient donc pas d'opposer le caractère sacré de la vie à la qualité de celle-ci. Le critère qui doit inspirer les dernières décisions médicales est celui du *bien-être spirituel* du malade. La séparation de l'âme et du corps doit pouvoir s'accomplir dans la paix. L'équipe médicale ne doit pas chercher à prolonger à tout prix la vie du mourant, mais chercher à soulager sa souffrance, pour qu'il puisse se préparer à la mort de façon adéquate (p. 102-103).

5. **La position des protestants.** – Les protestants (Abiven, p. 96-99) privilégient l'éthique concrète de responsabilité par rapport à une éthique de conviction qui peut rester plus théorique, et appuient cette éthique de responsabilité sur l'examen d'un contexte unique, et sur la dignité de la personne, image unique de Dieu, et dont nul ne peut ni disposer, ni administrer le critère. Aucune loi ni aucune instance morale ne peuvent prétendre supprimer la respon-

sabilité éthique du patient, des médecins et de l'entourage en légalisant, ou en interdisant comme un meurtre la pratique de l'euthanasie (Fédération protestante de France, *Livre blanc de la commission d'éthique*, 1991).

6. **La position des bouddhistes.** – Les bouddhistes souhaitent tout faire pour supprimer la souffrance, sans pour autant accélérer la venue de la mort, analogue pour eux à un sommeil qui sépare définitivement le corps et l'esprit. Or, puisque la souffrance ne cesse pas à la mort du corps, mais continue jusqu'à épuisement de l'effet des actions qui ont créé la souffrance, se suicider ou aider quelqu'un à le faire en croyant échapper à la souffrance n'a aucun sens. Il importe donc de pouvoir mourir consciemment pour pouvoir se libérer de la souffrance en contrôlant la douleur sans engourdir la conscience. Les bouddhistes souhaitent donc le développement des services de soins palliatifs dont la difficulté d'accès reflète, d'après eux, notre société matérialiste (Abiven, p. 106-108).

Dans leur ensemble, les traditions religieuses considèrent donc l'euthanasie comme un meurtre (juifs, catholiques, musulmans, orthodoxes), ou comme une fausse réponse à la souffrance de la mort (bouddhistes, protestants).

II. – **La position des autorités morales**

1. **La Recommandation du Conseil de l'Europe du 25 juin 1999.** – Dans sa Recommandation

n° 1418 intitulée *Protection des droits de l'homme et de la dignité des malades incurables et des mourants,* adoptée le 25 juin 1999 (*Gazette officielle du Conseil de l'Europe,* juin 1999, http ://stars.coe.fr), le Conseil de l'Europe affirme « l'obligation de respecter et de protéger la dignité d'un malade incurable ou d'un mourant », « conséquence naturelle de la dignité inviolable inhérente à l'être humain à tous les stades de la vie » (§ 5). Les États membres doivent donc assurer « aux malades incurables et aux mourants la protection juridique et sociale nécessaire » contre les risques d'une douleur insupportable, de l'acharnement thérapeutique, d'une mort isolée, ou du suicide à justification prétendument altruiste. La loi doit reconnaître comme des droits individuels l'accès des malades incurables et des mourants à une gamme complète de soins palliatifs, leur droit à l'autodétermination et l'interdiction absolue de mettre intentionnellement fin à leur vie, puisque « le droit à la vie est garanti par les États membres » et que « le désir de mourir exprimé par un malade incurable ou un mourant ne peut jamais constituer un fondement juridique à sa mort de la main d'un tiers » (§ 9). « Il faut également bannir toute décision qui reposerait sur des jugements de valeur générale en vigueur dans la société et veiller à ce qu'en cas de doute la décision soit toujours en faveur de la vie et de la prolongation de la vie » *(ibid.).* Tous ont donc droit à des soins palliatifs. L'euthanasie, comme terme intentionnellement mis à la vie de malades incurables et de mourants, est interdite.

2. **L'avis du Comité consultatif national d'éthique du 27 janvier 2000.** – Du point de vue philosophique, cet avis tente une synthèse entre deux positions qu'il décrit comme inconciliables, mais ne semble pas y parvenir puisque la manière dont il exprime cette synthèse équivaut, dans la réalité, à l'une des deux positions. Après une première partie consacrée aux méfaits de l'acharnement thérapeutique et aux bienfaits des soins palliatifs dont la « mise en œuvre devrait permettre, autant que faire se peut, à chaque individu de se réapproprier sa mort » (Conclusion du Titre II : « Mieux mourir aujourd'hui »), l'avis expose tout d'abord les arguments de ceux qui affirment « le respect de toute vie humaine » : un tiers ne peut disposer d'une vie qui n'est pas la sienne ; la dignité est un caractère intrinsèque à toute personne ; il n'y a pas continuité entre la personne qui demande qu'il soit mis fin à ses jours dans telles circonstances, et la même personne à l'approche de la mort ; une personne peut exprimer un désir d'euthanasie pour ne pas déranger son entourage ; il peut falloir protéger une personne contre le désir de mort de son entourage ; le médecin doit toujours avoir pour tâche de soulager ; la justification légale de l'euthanasie pourrait empêcher le développement des soins palliatifs (3.2.1). Puis le Comité expose, en se référant explicitement à l'ADMD, la logique de ceux qui pensent que « mourir dans la dignité implique un droit qui doit être reconnu à qui en fait la demande » (3.2.2, premières lignes), au motif que : l'individu

est seul juge de la qualité de sa vie et de sa dignité ; que l'euthanasie doit être dépénalisée ; que personne ne peut obliger quelqu'un à vivre ; que le respect de la clause de conscience est impératif ; qu'il ne s'agit pas d'un droit de tuer accordé à un tiers, mais « de la faculté pour une personne consciente et libre d'être *comprise* puis aidée dans une demande exceptionnelle qui est celle de mettre fin à *sa* vie » ; qu'une demande d'assistance à une mort consentie ou qu'une demande d'euthanasie active restent l'ultime espace de liberté auquel a droit l'homme ; et que la confiscation de ce droit est injustifiable.

Pour sortir de ce dilemme, le Comité propose deux notions : celle d'*engagement solidaire* et celle d'*exception d'euthanasie* (Titre 4). La notion d'*engagement solidaire,* qui consiste à « faire face ensemble à l'inéluctable » (Titre 4, § 1), reprend le vocabulaire compassionnel des soins palliatifs, du respect de la personne, de la solidarité et de la fraternité, mais le détourne de toute base objective (la vie de la personne), pour le mettre au service d'un désir de mort dont tous les professionnels de l'accompagnement des grands malades et des mourants soulignent les fluctuations et les contradictions, en montrant que l'expression de ce désir est celle d'un désir de ne plus souffrir, c'est-à-dire d'un désir de vie. Satisfaire ce désir de mort équivaut à non-assistance à personne en danger, et l'incitation à cette non-assistance pourrait être qualifiée d'incitation au meurtre, fût-il compassionnel. La notion d'*exception d'euthanasie* vient alors répondre à cette objection. Il ne s'agit nullement de dépénaliser l'euthanasie – qui reste pénalement répréhensible. Il s'agit seulement de créer une instance particulière, chargée d'examiner s'il y a lieu de poursuivre ou non le médecin qui a pratiqué une euthanasie. Cette instance judiciaire *exceptionnelle* aurait à se prononcer *a posteriori,* ce qui constitue en pratique au moins deux bons moyens de protection juridique des auteurs d'euthanasie, et non de leurs éventuelles victimes, fussent-elles, avec ambiguïté, consentantes : d'une part, des magistrats d'« exception » viendraient expliquer qu'il ne faut pas ici juger ordinairement, c'est-à-dire, explique le Comité, non pas juger une « culpabilité en fait et en droit, mais des [et non pas *les*] mobiles qui les ont animés [qui ont animé les auteurs d'une euthanasie] » (Titre 4, § 16) ; d'autre part, des médecins, si même ils ne se défaussent pas sur telle ou telle infirmière, pourraient toujours dire, *a posteriori,* ce qu'ils veulent sans véritable crainte d'être démentis. Le citoyen s'interrogera peut-être sur l'utilité d'une instance judiciaire qui ne jugera pas, mais dont la fonction sociale semble être seulement de normaliser l'exception. Peu à peu, l'exception deviendrait la règle (comme le montre ci-après l'article du Pr Jochemsen à propos de l'expérience hollandaise). L'ambiguïté de la notion de consentement ferait le reste : si la personne à la demande de laquelle on souhaite répondre n'émet pas de volonté distincte à l'instant où l'acte serait envisagé, il resterait toujours la possibilité de demander l'avis d'un tiers, sur le modèle de ce qui existe déjà dans le consentement à une recherche biomédicale (Titre 4, § 7), ce qui, reconnaît alors avec force le Comité, exclut les personnes sans domicile fixe : « Hors consentement, aucun acte euthanasique ne saurait être envisagé. Aussi, en l'absence de tiers (pour des personnes sans domicile fixe, par exemple), cet acte se révèle-t-il tout simplement inacceptable » (Titre 4, § 9).

Si l'euthanasie n'est pas reconnue comme un droit objectif, comme le réclament les membres des ADMD, la procédure exceptionnelle aboutit en pratique à ce droit, sans aucune garantie pour les personnes qui seraient hors d'état de consentir, mais dont le consentement pourrait toujours être présumé. La tentative de synthèse que prétend présenter le Comité n'en est pas une. Cet avis équivaut à un permis de tuer, en contradiction avec la Recommandation 1418 du Conseil de l'Europe du 25 juin 1999.

En 1996, Paul Van der Maas et Gerrit Van der Wal firent paraître les résultats d'une enquête sur les décisions prises en fin de vie de leurs patients par les médecins néerlandais (P. Van der Maas, G. Van der Wal *et al.* (1996), « Euthanasia, physician-assisted suicide, and other medical practices involving the end of life in the Netherlands, 1990-1995 », *The New England Journal of Medicine,* 28 novembre 1996, 335, 22, 1699-1705). En 1995, sur 135 000 décès observés aux Pays-Bas, 14 200 arrêts ou abstentions de traitement ont été pratiqués sans demande explicite du patient et pour abréger intentionnellement sa vie (Jochemsen, Henk (2000), « Euthanasie. Leçon des Pays-Bas : la régulation est-elle opérante ? », *Laennec,* octobre 2000, 48, 6, p. 4-9). Ces chiffres montrent que la réglementation n'empêche pas la pratique d'euthanasies effectuées sans demande du patient, c'est-à-dire d'euthanasies qui, le plus souvent, ne sont pas déclarées et restent clandestines. Pourquoi des professionnels qui auraient pratiqué des euthanasies sans le consentement de leurs patients iraient-ils déclarer volontairement un acte irréversible, à plus forte raison s'ils le regrettent ? Une régulation *a posteriori* fondée sur la déclaration volontaire ne pourra jamais faire sortir de la clandestinité des actes criminels. L'argument employé pour justifier l'euthanasie volontaire et le suicide assisté : les autoriser pour faire cesser des pratiques clandestines est donc inutile, puisque, dans ces deux cas, le patient exprime son consentement devant des tiers. En revanche, il renforce l'impunité de pratiques secrètes qui pourront toujours se prévaloir d'une présomption de consentement.

La justification de l'euthanasie compassionnelle entraîne l'impunité de fait de l'euthanasie utilitariste, et bientôt de l'euthanasie eugéniste d'enfants très lourdement handicapés. Henk Jochemsen estime à 90 le nombre des enfants handicapés dont la vie a été intentionnellement abrégée en 1995 en Hollande (art. cité, p. 7). Il conclut en constatant que, « une fois que l'euthanasie est officiellement approuvée et pratiquée, la pratique développe sa propre dynamique qui résiste à un contrôle efficace et qui tend à s'élargir. Cette situation mine les fondements de notre État constitutionnel » (*ibid.*, p. 9). Il est des exceptions théoriques qui menacent réellement les droits de l'homme et constituent, en pratique, une rupture du contrat social qui unit entre elles les personnes.

Chapitre VI

LES CONFLITS CONCEPTUELS

Trois problèmes au moins demeurent : 1 / Entre les cinq actes médicaux distingués plus haut (chap. IV, II, 1 : l'analgésie à doses de plus en plus fortes (1), la limitation ou l'abstention de traitement (2), l'arrêt de traitement (3), le suicide assisté (4) et l'injection d'une substance mortelle (5)), y a-t-il continuité ou discontinuité ? Les actes (4) et (5) constituent-ils des ruptures par rapport aux trois premiers ? La réponse à cette question dépend du statut que l'on donne à l'argument du double effet. 2 / La décision ou l'abstention à l'égard de l'euthanasie dépend de la manière dont nous comprenons la notion de respect des personnes. 3 / Qu'en est-il du poids de rationalité respective des thèses en faveur et en défaveur de l'euthanasie ?

I. – Continuité ou discontinuité
des actes médicaux en fin de vie :
l'argument du double effet

La présentation de cet argument se trouve dans la *Somme théologique* de saint Thomas d'Aquin (II*a* II*ae,* q. 64, a. 7) à propos de la licéité de l'homicide en état de légitime défense : « Rien n'empêche qu'un même acte ait deux effets, dont l'un seulement est voulu, tandis que l'autre ne l'est pas. Or les actes moraux reçoivent leur spécification de l'objet que l'on a en vue, mais non de ce qui reste en dehors de l'intention, et demeure (…) accidentel à l'acte. Ainsi, l'action de se défendre peut entraîner un double effet : l'un est la conservation de sa propre vie ; l'autre, la mort de l'agresseur. Une telle action sera donc licite si l'on ne vise qu'à protéger sa vie, puisqu'il est naturel à un être de se maintenir dans l'existence autant qu'il le peut. Cependant un acte accompli dans une bonne intention peut devenir mauvais quand il n'est pas proportionné à sa fin. Si donc, pour se défendre, on exerce une violence plus grande qu'il ne faut, ce sera illicite. Mais si l'on repousse la violence de façon mesurée, la défense sera licite. (…) Et il n'est pas nécessaire au salut que l'on omette cet acte de protection mesurée pour éviter de tuer l'autre ; car on est davantage tenu de veiller à sa propre vie qu'à celle d'autrui. »

L'emploi de la théorie du double effet suppose des conditions très strictes : 1 / il faut que l'acte soit bon en soi ; par exemple, une piqûre de potassium ou l'injection d'un cocktail lytique (DLP) sont en soi mauvaises ; 2 / l'effet mauvais ne doit pas être voulu, même s'il est prévu ; car prévoir n'est pas vouloir (sinon, par exemple, plus personne ne construirait de voiture, à cause des accidents mortels qui suivent parfois de leur utilisation) ; 3 / l'effet mauvais ne doit pas être utilisé comme moyen d'obtenir l'effet bon ; par exemple, rien ne peut légitimer l'usage de la torture ; 4 / il ne faut pas que l'effet mauvais soit pire que l'effet bon ; dans l'administration d'analgésiques forts, puisque de toute façon la maladie entraîne la mort, celle-ci ne peut être un maléfice absolu par rapport à la souffrance ; 5 / enfin, il faut ne pas pouvoir faire autrement ; par exemple, il ne faut pas utiliser des analgésiques dangereux s'il en existe d'inoffensifs. Les attaques de Pascal contre les distorsions casuistiques de l'argument du double effet ne doivent pas en interdire l'usage lorsque ces cinq conditions sont strictement respectées (Vincent Carraud et Olivier Chaline, article « Casuistique », *in* M. Canto-Sperber, 1996).

C'est au nom de l'argument du double effet que l'analgésie peut être utilisée même si celui qui la prescrit ou l'administre sait que l'augmentation des doses entraînera la mort. Le moyen est bon en soi ; l'effet mauvais n'est pas voulu, et même s'il est prévu, le moment auquel il surviendra ne peut être connu avec une entière certitude ; quant aux trois autres conditions, elles sont satisfaites de manière évidente. Les adversaires de cet argument, lorsqu'ils ne le déforment pas, confondent néanmoins l'intention et la prévision, le motif d'une action et ses conséquences, la conscience d'une intention et la représentation mentale d'une prévision, ce qui implique l'acteur et ce qui ne l'implique pas, à plus forte raison si le second terme est mauvais. Croire enfin qu'il serait hypocrite de vouloir le bien (premier effet) sans vouloir le mal (second effet) reviendrait à postuler que notre vraie conscience d'un bien cache un mal. Pourquoi notre conscience serait-elle nécessairement trompeuse ? (Peter Byrne, « Double effet », *in* M. Canto-Sperber 1996 ; D. Sulmasy, E. Pellegrino (1999), « The rule of double effect », *Arch. Inter. Med.,* 159, 22 mars, 545-550 ; T. Quill, R. Dresser, D. Brock (1997), « The rule of double-effect. A critique of its role in end-of-life decision making », *New England Journal of Medicine,* décembre 1997, 337, 24, 1768-1771). La différence, dans la conscience réelle, entre le bien d'une intention et le mal d'une conséquence non voulue permet de distinguer ce qui relève de l'euthanasie et ce qui relève des justes moyens de lutte contre la douleur. Même si ceux-ci entraînent la mort, ils paraissent plus respectueux des personnes.

II. – Le respect des personnes

Or, en médecine, le respect des personnes semble pouvoir être compris soit comme le respect de leur liberté et de leur autonomie, soit comme le fait de faire ce qui est bon pour elles, y compris sans leur consentement, ou peut-être même contre leur gré. Lorsqu'une personne n'est plus en état d'exprimer une préférence, faut-il la tuer ou la laisser se tuer par respect de sa dignité ?

Le véritable respect ne peut être abstrait. Il se tient nécessairement au plus près d'une personne concrète. Ce n'est jamais une liberté abstraite qu'il s'agit de respecter, mais toujours la liberté *d'une* personne concrète. Le bien et la liberté d'une personne lui sont reliés. Le conflit entre deux interprétations du respect n'existe ainsi que dans l'hypothèse où une personne pourrait émettre un désir contradictoire, comme l'est, logiquement, une demande de suicide. Par une telle demande, une personne se respecte-t-elle entièrement elle-même ? Faciliter l'accès au suicide revient à réduire une personne à une personne enfermée dans la douleur. La première des urgences consiste à tout faire pour qu'une personne redevienne libre en cessant de souffrir tout en étant restée une personne. S'imaginer à la place d'une personne que l'on aime peut fournir un bon critère de décision. Lorsque Leibniz affirme que « la place d'autrui est le vrai point de vue pour juger équitablement lorsqu'on s'y met » (*Nouveaux Essais,* I, II, § 4, fin), il s'agit d'un point de vue universel qui tient compte à la fois de la situation particulière de la personne, de sa singularité, mais aussi de toutes les obligations auxquelles elle se trouve reliée. Le respect des personnes ne peut séparer ici leur dignité, leur liberté, leur singularité et leur socialité concrètes. Par suite, cette mise à la place concrète d'autrui évite d'avoir faussement à choisir entre la liberté et le bien. Le vrai bien d'une personne n'est pas dissociable de sa liberté concrète.

III. – Évaluation rationnelle des thèses en présence

Bien des préférences peuvent jouer dans l'adoption d'une position philosophique qui admette ou refuse l'euthanasie. Mais les deux positions ont-elles le même poids rationnel ?

Deux observations, tout d'abord. Si la Recommandation 1418 du Conseil de l'Europe énonce bien un droit de tous à une mort digne et à des soins palliatifs, elle ne reconnaît pas un droit de chacun au suicide, au suicide assisté ou à l'euthanasie. L'avis n° 63 du CCNE va dans le même sens, puisqu'il ne change pas le Code pénal, ni ne reconnaît un droit objectif de chacun à un suicide assisté ou à une euthanasie, qui contraindrait un tiers à s'exécuter. Un droit pour ainsi dire subjectif et qui ne pourra jamais être universel, une exception ne peuvent avoir le même statut qu'un droit objectif. La seconde observation tient à l'existence de pressions économiques. À partir du moment où l'on peut calculer qu'un malade incurable, en situation de grande dépendance et inconscient, coûte plus cher à garder qu'à euthanasier, jusqu'à quel point le ou les évaluateurs sauront-ils se garder d'arguments utilitaristes ou eugénistes ? Que le coût des droits de l'homme soit jugé exorbitant ou non, l'argument économique ne peut être mis sur le même plan que le respect des personnes que si ce dernier a préalablement cessé d'être inconditionnel.

Trois paralogismes sont alors couramment utilisés par les partisans de l'euthanasie : le paralogisme de la suppression de la vie pour supprimer la souffrance ; le paralogisme de la permanence de la personnalité ; et le paralogisme du droit à l'exception, opposé au droit.

Supprimer la vie pour supprimer la souffrance n'a logiquement aucun sens : il est absurde et impossible de supprimer la substance pour supprimer les prédicats qui s'y rattachent : une personne morte n'est pas une personne non souffrante, puisqu'elle n'est théoriquement plus une personne, à moins de supposer une vie après la mort, ce qui n'est pas ordinairement l'hypothèse la plus fréquemment retenue par les partisans de l'euthanasie.

Le second paralogisme est employé pour justifier la reconnaissance d'un testament de vie. La validité de ce dernier postule une continuité réelle entre la personne qui a signé ce testament, et la personne qu'elle sera à la fin de sa vie. Or une décision prise par une personne en bonne santé, ou dans un état qui est encore éloigné de la réalité de la mort, ne saurait engager la même personne à l'article de la mort que si l'on considère que ces deux personnes sont identiques. Or, si l'état civil d'une même personne à deux moments de sa vie est bien le même, les *intentions* de cette personne, c'est-à-dire sa volonté concrète, peuvent varier radicalement, sans que la personne dans son dernier état puisse communiquer ce changement de décision. Il paraît donc prudent de ne jamais tenir compte d'un testament de vie, qui peut être très éloigné du réel, et de considérer que le respect d'une personne doit tenir compte de la pluralité des volontés possibles de cette personne. Il n'y a donc pas d'identité réelle entre deux états ou volontés d'une même personne.

Enfin, contre le troisième paralogisme, nous savons, depuis Kant, qu'il n'existe aucun droit de mentir, ni par humanité (lorsque quelqu'un ment à des poursuivants qui en veulent à un homme qui s'est réfugié chez lui), ni pour quelque raison que ce soit, puisque, lorsqu'il s'agit du mensonge, la transformation d'une exception en loi universelle empêcherait de savoir si celui qui parle ment ou dit vrai (I. Kant (1797), *Sur un prétendu droit de mentir par humanité*). Admettre une loi qui justifierait un droit à ne pas respecter le droit ruinerait ainsi toute vérité juridique. On ne peut fonder un droit sur un simple désir subjectif, par essence fluctuant. Tout droit suppose une universalité qui n'existe pas dans les cas chaque fois très particuliers des demandes d'euthanasie ou de suicide assisté.

La conscience est en nous l'instance qui éclaire le risque de vivre. Elle peut choisir de fuir le réel ou de s'y tenir. Pourvu que ce réel exclue toute douleur insoutenable, par la mise en place d'analgésies et de réconforts appropriés, lui seul semble pouvoir rendre la personne libre, à l'intérieur de cette vie qui lui reste à vivre. La liberté d'agir autrement (euthanasie, suicide assisté) aurait beau exister, et la conscience des acteurs aurait beau l'estimer justifiée, elle ne saurait être érigée en droit sans suciter de terribles contradictions, ni rester secrète sans risquer d'être criminelle. Le propre de l'exception est de ne pouvoir être entièrement justifiée.

Chapitre VII

LÉGISLATIONS ÉTRANGÈRES

I. – Les États-Unis

La question de la légalisation de l'euthanasie n'est pas nouvelle aux États-Unis. En 1906, l'État de l'Ohio vota une loi disposant : « Toute personne atteinte d'une maladie incurable, accompagnée de grandes douleurs, peut demander la réunion d'une commission composée d'au moins quatre personnes, qui statuera sur l'opportunité de mettre fin à cette vie douloureuse. » Ce texte n'eut aucune suite, ayant été jugé inconstitutionnel par la Cour suprême de cet État.

Au niveau fédéral, les États-Unis d'Amérique ne disposent pas d'une législation favorable à l'euthanasie ; en revanche, deux États, à cet égard, ont eu des initiatives, assez différentes : l'Oregon, par le « Death with Dignity Act » du 8 novembre 1994, et la Californie, par le « Californian Natural Death Act » du 30 septembre 1976 qui fut promulgué le 1er janvier 1977 (législation américaine : http ://www.rights.org).

Ces divers textes ont été inspirés par l'affaire Karen Ann Quinlan en 1976. Cette jeune fille plongée, le 14 avril 1975, dans un coma profond fut maintenue en vie par un respirateur artificiel durant plus d'un an. Ses parents, après consultation des autorités religieuses, sollicitèrent l'arrêt de la réanimation devenue sans espoir. Devant le refus des médecins, ils portèrent l'affaire en justice et obtinrent gain de cause par l'arrêt de la Cour suprême de l'État du New Jersey du 31 mars 1976 (Baron, p. 102). S'inclinant devant ces injonctions, les médecins, le 22 mai suivant, arrêtèrent le processus de réanimation. À la stupeur générale, Karen continua de respirer toute seule. Un second problème se posa : devait-on continuer à l'alimenter ? Il fut décidé d'y procéder dès lors que la survie n'était pas, elle-même, artificielle. Karen survécut dix ans et mourut de sa mort le 13 juin 1986. Le cas Quinlan posait deux questions : Une personne peut-elle solliciter l'arrêt de soins estimés superflus ? Peut-elle obtenir que l'on mette un terme à une vie gravement atteinte ? À la suite de cette célèbre affaire, divers États élaborèrent des législations entendant répondre à l'une ou l'autre de ces deux questions. La loi californienne apporte une réponse à la première, tandis que celle de l'Oregon prétend fournir une solution à la seconde.

La loi californienne a pour finalité déclarée de laisser se dérouler d'une manière naturelle une mort imminente. Le médecin va cesser le traitement tendant à maintenir la vie, mais non celui qui permet l'allégement de la douleur.

La loi permet à tout malade de signer une « directive » (terme consacré par elle) qui porte le nom de *living will* qui peut se traduire par « testament de vie ». Pour pouvoir établir un tel document, il faut avoir 18 ans au moins, être sain d'esprit et agir de sa propre volonté. La validité du consentement est assujettie à la présence de deux témoins, lesquels ne doivent avoir aucun intérêt dans la suite du destin de celui qui souhaite laisser ses ultimes volontés. Lorsqu'elle est rédigée, la « directive » a une durée de validité de cinq ans, terme au bout duquel elle doit être réitérée dans les mêmes formes. S'agissant d'une femme, ses effets sont suspendus durant la grossesse de celle-ci. Une fois établie, la « directive » doit être communiquée au médecin traitant qui en garde copie dans le dossier du malade. Il va sans dire que cette « directive » est révocable à tout moment.

Ces effets varient selon la situation du malade. Si la « directive » est établie alors que le malade sait qu'il se trouve dans une phase terminale d'une maladie, situation qui a dû lui être notifiée par écrit par deux médecins (dont son médecin traitant), alors elle est obligatoire pour le corps médical. En revanche, si la « directive » remonte, tout en étant valide, à une époque où le malade ne l'était pas encore, elle n'a qu'une valeur indicative.

La loi californienne, très largement approuvée, a inspiré diverses autres législations d'États et finalement celle du Congrès lui-même qui, par le Patient Self Determination de 1991, a astreint chaque hôpital à remettre à tout patient, lors de son entrée, une information suffisante à ce sujet. En 1992, un projet de loi visant à instaurer une véritable euthanasie dans l'État de Californie fut refusé par référendum.

À l'opposé, l'État de l'Oregon, par un référendum en date du 8 novembre 1994, admit une loi favorable à l'euthanasie sous le nom de Death with Dignity Act, qui n'était qu'une admission pure et simple du suicide médicalement assisté. Cette loi fut suspendue immédiatement après son vote par le recours d'un avocat l'estimant contraire à la Constitution, au motif qu'elle privait arbitrairement des personnes de la même protection à l'égard du suicide dont jouissent les autres. Toutefois la loi fut confirmée par un référendum le 27 octobre 1997. C'est elle qui a permis en 1998 et 1999 à 57 patients de recevoir une prescription létale.

Mais il faut surtout noter l'arrêt déterminant rendu par la Cour suprême des États-Unis, le 26 juin 1997 (*Washington v. Glucksberg* ; voir E. Zoller (1997), n° 74). L'État de Washington incrimine, comme la plupart des autres États, l'aide au suicide d'autrui. Le Dr Harold Glucksberg avait reconnu avoir l'intention d'aider des mourants à se donner la mort. La loi l'interdisant, il déposa un recours *(Compassion in Dying v. State of Washington et al.)* en inconstitutionnalité devant la cour fédérale de district compétente en se fondant sur le fameux XIVe amendement et sa clause du *due process* qui prévoit, en particulier, qu' « aucun État ne (...) privera aucune personne de vie, de liberté ou de propriété sans le bénéfice des protections dues par le droit » (*without due process of law,* c'est-à-dire selon une procédure juste, impliquant l'obligation d'accorder une égale protection à tous les citoyens). Il obtint satisfaction devant cette juridiction, puis devant la cour d'appel du 9e circuit de Washington (mars 1996). La Cour suprême cassa cet arrêt à l'unanimité et déclara que, « dans presque tous les États, en fait, dans presque toutes les démocraties occidentales, c'est un crime que d'aider un tiers à se suicider. L'interdiction faite par les États d'aider un tiers à se suicider n'est pas une nouveauté. C'est plutôt une expression fort ancienne de l'obligation des États de protéger et conserver toute vie humaine. (...) En vérité, l'opposition au suicide, sa condamnation – et *a fortiori* celle du suicide assisté – sont des valeurs permanentes en harmonie avec notre patrimoine philosophique, juridique et culturel ». Contre les requérants, la loi de l'État de Washington fut donc jugée constitutionnelle.

À l'heure présente, les États-Unis connaissent un vigoureux débat quant aux pratiques provocatrices du Dr J. Kervorkian, ancien médecin, radié de l'Ordre en 1991. Depuis 1990, il a ainsi conduit à la mort de nombreux malades en usant d'un véhicule aménagé de petits conteneurs de monoxyde de carbone reliés à un masque en plastique. Auparavant, J. Kervorkian s'entretient longuement avec le candidat à la mort, et, pour plus de sûreté, ces ultimes conversations sont enregistrées et filmées par une caméra vidéo face à laquelle le malade confirme sa décision sans retour. Kervorkian lui fait alors connaître le mode d'emploi de sa machine. C'est le malade qui s'asphyxie lui-même.

Kervorkian fut acquitté à Detroit, en mai 1994, puis à Pontiac (Michigan) en mars 1996. Dans d'autres affaires, il bénéficia d'un non-lieu. C'est d'ailleurs à la suite de l'acquittement de 1996 que l'État du Michigan se dota d'une loi prohibant l'assistance au suicide. Loi qui lui fut appliquée par un jury populaire le condamnant, lors d'un nouveau procès à Pontiac, le 26 mars 1999 (*Libération,* 23 mars 2000 ; *Le Monde,* 28-29 mars 2000).

II. – **L'Australie**

En 1988, les États de Victoria et celui du Territoire du Nord admirent le testament de vie alors que le Territoire de la Capitale australienne et celui d'Australie méridionale préférèrent avoir recours au mandataire *ad hoc.* Puis, le 25 mars 1995, ce fut l'assemblée du Territoire du Nord qui légalisa l'euthanasie en tant que suicide assisté par le Rights of the Terminal Ill Act.

Le Parlement fédéral, à l'instigation du Premier ministre fédéral, John Howard, par une décision du 9 décembre 1996 de la Chambre des représentants confirmée par une seconde du 23 mars 1997 du Sénat, révoqua la loi en question par l'Euthanasia Laws Act n° 17/1997.

III. – **La Grande-Bretagne**

La jurisprudence des Lords est fixée par un arrêt très important, Airdedale NHS Trust v. Bland, du 4 février 1993, qui déclare qu'un malade peut refuser un traitement. En ce cas, « un médecin n'a pas le droit de passer outre, même s'il apparaît évident pour tous, y compris pour le malade, que des conséquences néfastes et même la mort, pourront s'ensuivre et s'ensuivront ».

Au-delà, la jurisprudence britannique admet que toute personne laisse des instructions pour ses derniers jours. La validité d'un tel document est subordonnée à quatre conditions : le patient doit disposer de sa capacité mentale au moment où il exprime son souhait, saisir la portée de sa décision dans l'hypothèse où il viendrait à perdre cette capacité, comprendre les conséquences de son souhait et ne pas avoir été soumis à une influence dans sa décision. À défaut de document aussi explicite, l'arrêt des soins peut être ordonné par l'accord et de l'équipe soignante et de la famille (c'est ce que décida l'arrêt précité du 4 février 1993).

C'est donc un pays qui admet le droit à l'abstention du traitement, du moins la poursuite de soins devenus inutiles.

IV. – **Le Canada**

Le Québec est fidèle à la tradition romaine. Le droit y est écrit et codifié. Ainsi, le nouveau Code civil du Québec de 1994 comporte un article 11 : « Nul ne peut être soumis sans son consentement à des soins, quelle qu'en soit la nature, qu'il s'agisse d'examens, de prélèvements, de traitements ou de toute autre intervention.

« Si l'intéressé est inapte à donner ou à refuser son consentement à des soins, une personne autorisée par la loi ou par un mandat donné en prévision de son inaptitude peut le remplacer. »

Article 12 : « Celui qui consent à des soins pour autrui ou qui les refuse est tenu d'agir dans le seul intérêt de cette personne en tenant compte, dans la mesure du possible, des volontés que cette dernière a pu manifester.

« S'il exprime un consentement, il doit s'assurer que les soins seront bénéfiques, malgré la gravité et la permanence de certains de leurs effets, qu'ils sont opportuns dans les circonstances et que les risques présentés ne sont pas hors de proportion avec le bienfait qu'on en espère. »

Sur le terrain pénal, l'euthanasie est classiquement un homicide. Un arrêt de 1992 de la Cour suprême, B. Nancy *v.* Hôtel-Dieu de Québec, opère toutefois une nette distinction entre l'interruption de traitement et l'euthanasie par compassion.

V. – **Pays scandinaves et germaniques**

En Allemagne, la Cour fédérale de justice, par un arrêt du 13 septembre 1994, a opéré un revirement de jurisprudence, en admettant que soit interrompue une alimentation artificielle d'une patiente plongée dans un coma depuis de nombreuses années. La pratique a encouragé la rédaction d'un « Patiententestament » qui est parfaitement licite (exemple de formule : *JCP,* éd. N., 1998, p. 1783 s.). Une loi du 12 septembre 1990 autorise, pour le cas d'un majeur incapable, la désignation d'un mandataire, pour prendre une décision, désigné par le tribunal des tutelles. C'est toutefois ce même tribunal qui devra confirmer la position arrêtée par le mandataire.

En Suisse, le Code pénal prévoit spécialement le cas du meurtre par euthanasie. L'article 114 dispose que « celui qui, cédant à un mobile honorable, notamment à la pitié, aura donné la mort à une personne sur la demande sérieuse et insistante de celle-ci sera punie de l'emprisonnement ». Au Danemark, une loi n° 351 du 14 mai 1992 modifiant l'exercice de la médecine et une loi n° 482 du 1er juillet 1998 sur le statut juridique du patient autorisent une personne, majeure et capable, à rédiger un testament de vie. La loi danoise permet à la personne de demander, préventivement, qu'elle ne soit pas maintenue en vie en cas d'accident grave. En Suède, la solution découle largement de la pratique judiciaire. En effet, l'article 2 du chapitre 23 du Code criminel prévoit une diminution de peine si la mort a été donnée par compassion. Cela étant, l'acte est toujours incriminé.

VI. – L'Espagne

Le Nouveau Code pénal de 1995 (art. 143-4) prévoit que « celui qui causera ou participera activement à des actes provoquant, après une demande expresse, certaine et non équivoque, la mort d'une personne souffrant d'une maladie grave qui conduira nécessairement à sa mort ou qui produira des douleurs graves et permanentes, sera puni de l'emprisonnement simple d'une durée de six mois à un an ». Il s'agit d'une législation minorant sensiblement la peine encourue.

VII. – **La Belgique**

Depuis quelques années se succèdent diverses propositions se combattant l'une l'autre. On retiendra la proposition de loi relative à l'euthanasie, en date du 26 octobre 1999, déposée devant la Chambre des représentants par M. Coveliers et Mme De Block (J. Pousson-Petit, « Propos paradoxaux sur l'euthanasie à partir de l'avis n° 63 du CCNE et la proposition de loi belge relative à l'euthanasie », Dr. Famille, mars 2001). Le débat est en cours.

VIII. – **Les Pays-Bas**

En 1973, l'arrêt Postma de la Cour suprême appliqua purement et simplement le droit commun à un cas d'euthanasie. L'émotion suscitée par cette décision amena un revirement de jurisprudence en 1984 par l'arrêt Schoonheim où la justice démontra qu'elle ne souhaitait plus statuer de la sorte. Dans les années qui suivirent, les juges firent preuve de beaucoup d'indulgence, les cas de classements sans suite devinrent fréquents. Plusieurs projets de loi n'eurent aucune suite. Les élections de 1989 changèrent les données politiques et le nouveau gouvernement sollicita d'une commission un rapport, déposé en 1991. De son côté, la Cour suprême persista nettement dans sa jurisprudence. Le 21 juin 1994, elle confirma plusieurs arrêts de la cour d'appel de La Haye qui avaient relaxé des personnes poursuivies pour assistance à la mort volontaire d'autrui. Cette jurisprudence faisait incliner la position de la Conférence des Procureurs généraux à ne plus poursuivre de tels agissements.

C'est ainsi que l'on en vint à la première loi sur la question, celle du 1ᵉʳ juin 1994 qui dépénalisa l'euthanasie. Au terme de ce premier texte, l'euthanasie restait un acte illégal et l'assistance au suicide punie. Le 17 décembre 1994 fut pris le décret en application de la nouvelle loi, instituant une procédure de notification qu'un médecin pratiquant l'euthanasie doit respecter. Cette notification est destinée au procureur de la reine qui décidera s'il y a lieu ou non d'intenter des poursuites. On observera au passage ou la candeur d'une telle procédure ou son cynisme. Car comment imaginer un instant que la notification soit rédigée de manière à ce que la nécessité des poursuites s'avère impérieuse ? (Voir à ce sujet le délicat débat relatif à l'affaire Philip Sutorius, jugé par la cour d'appel d'Amsterdam, AFP, 7 et 8 mai 2001, 071321 et 081455 : comment déterminer les critères de minutie ?

Le décret fixa des exigences *a priori* rigoureuses et multiples, les « critères de minutie », au nombre de sept. Le patient doit être compétent et libre. Sa demande de mourir doit être formulée à plusieurs reprises. Elle doit être mûrement réfléchie et cohérente, ce qui suppose que le patient soit dûment informé d'un recours possible aux soins palliatifs. Un second médecin doit être appelé à donner son avis et celui-ci doit être concordant avec celui du premier. Ces deux praticiens doivent faire le constat d'une souffrance intolérable, étant précisé, et ce point est capital, que cette souffrance peut être physique ou mentale. On verra, par la suite, que c'est principalement ce second critère qui est aujourd'hui invoqué dans la pratique. Cette référence s'explique par le souvenir de l'affaire judiciaire de 1994 qui avait défrayé la chronique : il s'agissait d'un psychiatre qui avait aidé à mourir une patiente atteinte d'une grave dépression. Or cette référence à une souffrance mentale n'oblige pas à ce que le patient soit dans une phase terminale de sa maladie.

L'euthanasie accomplie, le médecin est invité à dresser un rapport à l'intention du médecin légiste local qui décrit l'historique de la maladie et tout le processus qui a conduit à la décision finale. L'acte d'euthanasie doit être décrit avec précision (substances utilisées, heure, témoins). En 1999, plus de 2 200 actes d'euthanasie furent effectivement dénoncés aux autorités compétentes. En fait, la loi, ce qui était prévisible, encouragea l'acte mais certainement pas la procédure. On estime aujourd'hui que 16 000 décès sur les 130 000 annuels que dénombre le pays sont le fait d'une euthanasie (chiffre donné par le rapport du Sénat canadien) ; selon d'autres sources (J. Ricot, *infra*), l'euthanasie représenterait entre 3,4 à 6 % des décès.

Puis, le 28 novembre 2000, par 104 voix contre 40, la chambre basse des États généraux (le Parlement) vota un second texte qui, cette fois, franchissait le pas de la légalisation (*Le Monde,* 30 novembre 2000). Le texte souleva une vive réticence, s'agissant de l'euthanasie des enfants qui fut, malgré tout, acceptée dès lors que les deux parents donnent leur accord pour le mineur de 16 ans. Cette possibilité s'explique, là encore, par une affaire dans laquelle un gynécologue avait donné la mort à un enfant de trois jours atteint d'une hydro-céphalie. Acquitté, le président du tribunal lui avait même témoigné son admiration pour son acte. Le 10 avril 2001, le Sénat votait à son tour le texte, malgré une manifestation d'opposition devant son siège, réunissant 10 000 personnes, et la loi devenait ainsi définitive (*Le Monde,* 12 et 13 avril 2001).

La nouvelle loi institue cinq commissions paritaires régionales chargées d'examiner chaque cas dénoncé et de lui donner la suite qui s'impose. À ce jour, depuis la loi de 1994, aucune poursuite n'a été intentée. Il existe une différence entre la loi de 1994 et celle de 2001. La première instaurait une dispense de condamnation ; la seconde prévoit un cas justificatif. C'est donc bel et bien la seconde qui, au sens propre du terme, « légalise » et non seulement « tolère » l'euthanasie. Dans son éditorial du 13 avril 2001, *Le Monde* faisait paraître le commentaire suivant : « La décision néerlandaise ne découle pas d'une situation nouvelle créée par un progrès technique, à l'instar d'autres problèmes bioéthiques comme la fécondation *in vitro* ou les manipulations génétiques. L'euthanasie se pose dans les mêmes termes éthiques aujourd'hui qu'hier. La question technique n'est que marginale : d'un côté il est plus facile d'interrompre une vie avec les moyens hospitaliers modernes, de l'autre il est désormais possible de juguler la souffrance, ce qui est tout l'enjeu des soins palliatifs. Du coup on s'interroge : qu'est-ce qui est en train de changer ? Une certaine conception de l'homme. Cela mérite réflexion. »

Chapitre VIII

L'EUTHANASIE AU REGARD DU DROIT FRANÇAIS

Pénalement, l'acte d'euthanasie peut recevoir deux qualifications (E. Dunet-Larousse, « L'euthanasie : signification et qualification au regard du droit pénal », *Rev. dr. san. soc.,* 1998-265). Ou bien il est un homicide, s'il s'agit du fait de donner directement la mort à quelqu'un ; ou bien il est une aide au suicide d'autrui, délit distinct du premier. L'euthanasie ne peut recevoir une semblable qualification que si l'acte vise une personne distincte de l'agent. L'euthanasie sur soi-même n'est qu'un suicide ordinaire.

Le premier problème juridique est de clarifier la place du suicide dans le droit pénal contemporain. Si le suicide est simplement dépénalisé, alors cela signifie que l'auteur de l'acte, qui se confond avec la victime, ne peut être sanctionné, que son acte soit achevé ou non. Cela ne veut nullement dire, en revanche, que le droit approuve l'acte lui-même et le justifie. Si le suicide est un droit, alors il faut en déduire que, pour revendiquer l'accomplissement de ce droit subjectif, la personne a la faculté de se faire assister dans la recherche de sa mort. En clair, existe-t-il un droit à la mort ?

Ce sont ces deux points que nous aborderons successivement : l'euthanasie relève du droit pénal ordinaire ; il n'existe pas de droit à demander la mort, mais un droit à l'approcher dans la dignité.

I. – L'euthanasie, homicide de droit commun

La question précise est de savoir si l'arrêt d'un traitement voué à l'échec entre dans la catégorie de la non-assistance à personne en péril. L'argumentation qui va suivre démontrera l'importance qu'il y a, pour fournir une réponse pertinente, à dissocier l'arrêt du traitement curatif de l'arrêt du traitement palliatif (ou arrêt du traitement et arrêt des soins). Le premier est licite, non le second.

1. Les qualifications possibles en droit pénal de l'acte euthanasique. – Le Code pénal définit, à l'article 221-1, le meurtre comme étant « le fait de donner volontairement la mort à autrui ». Il est puni de trente ans de réclusion criminelle. Le meurtre prémédité est un assassinat (art. 221-3) encourant la réclusion criminelle à perpétuité. En l'état de la législation française, l'euthanasie dite active ne peut que recevoir l'une ou l'autre de ces deux qualifications.

Le meurtre suppose la conjonction d'un élément matériel et d'un élément intentionnel. L'élément matériel est constitué par l'acte ayant entraîné la mort (ou susceptible de l'engendrer). Dans tous les cas, le meurtre ne peut être réalisé que par un acte positif (le fait de débrancher un appareil de réanimation peut constituer un tel acte). C'est ce que l'on dénomme une « infraction de commission ». Cela permet de distinguer soigneusement le meurtre d'autres infractions ayant entraîné la mort d'autrui mais par « abstention », la plus connue étant la non-assistance à personne en péril.

L'élément intentionnel, dénommé *animus nocendi,* est l'élément déterminant de l'infraction, car « il n'y a point de crime ou délit sans intention de le commettre » (art. 121-3 C. pén.). Il ne peut y avoir que l'état de nécessité reconnu par la loi qui estompe cette intention. Ces cas se résument à l'ordre de la loi résultant d'un commandement légitime (art. 122-4 C. pén.) ou de la légitime défense (art. 122-5 C. pén.) rigoureusement définie. Néanmoins la preuve de l'intention criminelle est toujours délicate à apporter. Dans l'hypothèse d'un acte d'euthanasie, il sera souvent bien difficile à l'accusation d'aboutir dans cette démonstration. Il ne suffira pas de prouver que le médecin a inoculé une substance létale (élément matériel), il faudra encore convaincre qu'il l'a fait dans une intention criminelle (élément intentionnel).

Il ne faut pas confondre l'intention criminelle avec les mobiles. Les mobiles expliquent l'accomplissement de l'acte par l'accusé. L'intention criminelle existera, même si la victime y avait consenti. C'est là qu'entre en ligne de compte le caractère particulier de la juridiction des assises. Les jurés sont toujours sensibles aux mobiles. Les critères de qualification de l'acte s'imposent au juge d'instruction et à la chambre de l'instruction mais laissent toute liberté d'appréciation aux jurés lors du jugement proprement dit de l'acte ainsi qualifié.

Le meurtre lorsqu'il est prémédité revêt la qualification d'assassinat (art. 221-3 C. pén.). On entend, par « préméditation », le dessein formé par l'auteur, avant l'action, d'attenter à la vie de la victime. Il n'y a donc jamais préméditation si l'acte est perpétré sous le coup de la colère ou de toute autre passion faussant le discernement. L'acte d'euthanasie risque fort d'être, presque par excellence, le meurtre de cette nature. Le consentement de la victime ne modifie en rien l'appréciation de l'acte décisif.

Le meurtre peut, enfin, être commis dans des circonstances l'aggravant. Hypothèses prévues à l'article 221-4 du Code pénal, et qui rassemblent le meurtre du mineur de 15 ans, de l'ascendant légitime ou naturel ou sur les père ou mère adoptifs, mais surtout, au regard de la question qui nous préoccupe, « sur une personne dont la particulière vulnérabilité, due à son âge, à une maladie, à une infirmité, à une déficience physique ou psychique ou à un état de grossesse, est apparente ou connue de son auteur ».

Le meurtre est puni dans la personne de son auteur, mais également du coauteur ou du complice. Un membre du personnel soignant qui fournirait à un malade une substance entraînant sa mort, pourrait être poursuivi en ces qualités, alors même qu'il n'a fait qu'obéir (mais consciemment) à une prescription d'un supérieur, car l'ordre n'était pas légitime.

2. **Arrêt du traitement et arrêt des soins.** – Attendre la mort, dans la paix ; l'appeler, dans l'angoisse. Voilà ce qu'il faut distinguer.

En droit, les choses sont d'une parfaite clarté. Depuis le célèbre arrêt du 20 mai 1936 *Mercier c/ Nicolas,* la Cour de cassation rappelle que le lien qui unit le patient à son médecin est celui d'un *contrat,* dont le patient est le bénéficiaire et le commanditaire et dont le médecin est l'exécutant, en tant que fournisseur des services que sont les soins (il est tenu d'une obligation non de résultat mais de moyens). Celui qui sollicite le médecin, c'est le patient qui est d'abord un « client ».

Lorsque le patient fait connaître au médecin qu'il désire l'arrêt d'un traitement curatif, celui-ci n'est pas dans une situation où ce souhait est pour lui une « excuse » ou un « fait justificatif », puisque nous ne nous trouvons pas sur le terrain du droit pénal mais sur celui du droit civil. Le médecin n'a, tout simplement, plus le droit de continuer le traitement (obligation juridique) ; il doit poursuivre les soins mais dans une autre perspective que celle de la guérison impossible (obligation déontologique). Ce n'est pas une faculté mais une obligation. Le médecin, comme tout professionnel, est soumis à son client, et non le contraire. Depuis la loi du 9 juin 1999 visant à garantir le droit à l'accès aux soins palliatifs, l'article L. 1111-2 du Code de la santé publique dispose en ce sens : « La personne malade peut s'opposer à toute investigation ou thérapeutique » (voir aussi F. Ponchon, *Les droits des patients à l'hôpital,* Paris, PUF, « Que sais-je ? », n° 3530).

Risque-t-on, dans ce cas, de commettre une faute de non-assistance à personne en danger ? Ce délit (ce n'est pas un crime) trouve son siège dans l'article 223-6 du Code pénal, alinéa 2, qui punit « quiconque s'abstient volontairement de porter à une personne en péril l'assistance que, sans risque pour lui ou pour les tiers, il pouvait lui prêter soit par son action personnelle, soit en provoquant un secours ». Ce texte est à compléter par l'article 9 du Code de déontologie médicale : « Tout médecin qui se trouve en présence d'un malade ou d'un blessé en péril, doit lui porter assistance ou s'assurer qu'il reçoit les soins nécessaires. »

Pour qu'il y ait situation de non-assistance à personne en danger, il importe qu'il y ait danger grave et imminent pour cette personne mais le délit n'est pas consommé lorsqu'un malade oppose un refus « obstiné et même agressif » de se soumettre aux soins prescrits par le médecin (Crim. 3 janv. 1973, *D,* 1973.220).

Le péril de mort doit exister. Sur ce point, on n'oubliera pas qu'il n'y a évidemment pas d'interrogation à avoir quand la personne est... morte. Le droit français depuis 1968 retient comme critère de la mort celui de la « mort cérébrale » (Bruno Py, *La mort et le droit,* Paris, PUF, « Que sais-je ? », n° 3339). Curieusement déterminé par une simple circulaire en 1968 (pour permettre la première transplantation cardiaque par le Pr Cabrol), ce critère est aujourd'hui défini par le décret du 2 décembre 1996. Ces critères juridiques s'imposent au médecin (1re civ., 7 janvier 1997, *JCP,* II, 22830, et la note). L'agonie est un processus ; la mort est un instant : la fin des fonctions cérébrales. Un médecin réanimateur arrêtant une machine maintenant non plus une vie mais conservant un corps (en vue de prélèvements d'organes pour des greffes) ne commet aucun acte pénalement répréhensible. On ne tue pas un mort.

Résumons-nous. Face à un malade qui, en toute conscience et liberté, souhaite interrompre un traitement devenu inutile quant à un espoir de guérison, le médecin doit respecter cette volonté, il n'est nullement dans un cas de non-assistance à personne en péril, puisqu'il ne délaisse pas la personne. Le traitement est interrompu, non les soins. Il y a assistance dans l'agonie. C'est là qu'apparaît une confusion dans la terminologie. Une semblable situation n'est pas un acte d'euthanasie, de quelque manière qu'on la qualifie. Ce n'est pas une euthanasie active. Ce n'est pas non plus une euthanasie passive.

L'euthanasie est toujours un acte, quels que soient les moyens, directs ou indirects, employés pour l'accomplir. L'euthanasie (dans le sens contemporain du mot) est toujours active, puisqu'elle recherche un résultat ; tandis que l'abstention de traitement ne fait que s'incliner devant une situation irrémédiable et se trouve attendre une issue fatale. La Cour de cassation a eu l'occasion de bien dissocier les deux hypothèses. Dans un arrêt en date du 19 février 1997 (*D*, 1998.236, note Legros), elle a retenu la qualification d'homicide à l'encontre d'un médecin anesthésiste qui avait mis un terme à une réanimation (contre l'avis du reste de l'équipe soignante), sachant que son geste entraînerait rapidement la mort du patient, alors même que tout espoir n'était pas perdu. Ce cas est celui d'un *arrêt des soins,* que l'on ne confondra pas avec l'*abstention de traitement* qui consiste à ne plus entreprendre de nouveaux traitements ou à passer d'un traitement curatif à un traitement palliatif. Un arrêt des soins n'a aucun substitut. Une abstention d'un traitement curatif suppose de passer à des soins palliatifs. C'est cette situation qui est visée par l'article 38 du Code de déontologie médicale impartissant au praticien d'accompagner le malade « jusqu'à ses derniers instants » et d' « assurer par des soins et mesures appropriées la qualité d'une vie qui prend fin ». Si l'on veut jouer sur les mots, l'arrêt des soins est un arrêt de mort, non l'abstention d'un traitement devenu inopportun. L'arrêt du traitement est licite ; l'arrêt des soins est prohibé. Il est superflu de qualifier de « passif » un acte qui n'est pas une « euthanasie ».

On doit signaler que la doctrine juridique espagnole opère une distinction plus subtile que celle retenue en France et parle d'une « euthanasie naturelle » pour qualifier le cas de l'abstention de traitement. La formule est acceptable, si l'on reprend le terme *euthanasie* au sens où le prend Bacon (voir plus haut, chap. IV, I, 1, B). Cette distinction a le mérite de ranger plus nettement encore l'euthanasie passive du côté de l'euthanasie active. En fait, on s'aperçoit qu'il y a l'euthanasie *naturelle,* où le soignant ne prend aucune initiative pour précipiter la mort, et l'euthanasie *provoquée* (active ou passive), qui agit directement ou indirectement en ce sens.

II. – Existe-t-il un « droit à la mort » ?

Il n'y a pas, en droit français, un « droit à la mort », mais un « droit de la mort ».

1. **L'impossible « droit à la mort »**. – D'où vient l'idée d'un « droit à la mort » ? On déduit beaucoup trop souvent, du principe voulant que tout ce qui n'est pas interdit est permis, l'énoncé d'un droit. L'équation est fausse. Un simple exemple suffit à le démontrer. Le droit français ne réprime pas la prostitution, en tant que telle. Sont répréhensibles le proxénétisme ou le racolage sur la voie publique mais pas le commerce de son corps. Cela ne signifie nullement qu'il y a un « droit à se prostituer ».

L'absence de sanction pénale n'implique pas l'existence d'un droit. De même, la dépénalisation n'équivaut pas à la création d'un droit. Si l'on fait retour à la question du suicide, le droit français a aboli définitivement l'incrimination du suicide en 1791. Ce silence, de respect et de pudeur, ne signifie qu'une dépénalisation de l'acte du suicidé lui-même. Il n'a jamais voulu dire que le droit reconnaissait un quelconque « droit au suicide ». Pour preuve, la loi du 31 décembre 1987, qui incrimina la « provocation » au suicide, disposition reprise aujourd'hui aux articles 223-13 à 15 du Code pénal. Mais il ne s'agit bien que de la « provocation ». Néanmoins, le droit n'est pas indifférent envers le suicide (F. Terré (dir.), *Le suicide,* Paris, PUF, 1994). Le Code des assurances dispose que si l'assuré se suicide dans l'année (dans les deux ans en cas d'assurance de groupe) qui suit la conclusion d'un contrat d'assurance sur la vie, celui-ci est considéré comme nul. S'il y avait un « droit au suicide », naturellement de telles dispositions seraient sans fondement. Tout comme il serait aberrant de consacrer des efforts à lutter contre (journée nationale de prévention chaque 5 février). Devant le mystère du suicide, le droit s'abstient. De cette abstention ne peut, naturellement, découler un droit.

Certains philosophes contemporains (notamment A. Comte-Sponville, *in* Leguay, p. 182, s'appuyant sur quelques pages de Montaigne (*Essais,* II, 3)) ont usé de l'expression « droit au suicide » et soutenu que « la liberté de choisir l'heure de sa mort est un droit imprescriptible de la personne, inhérent à la Déclaration des droits de l'homme » (*France-Soir,* Appel des 132 du 12 janvier 1999). Juridiquement, une semblable affirmation n'a aucun fondement. L'exégèse de la Déclaration de 1789 ne fournit aucun élément permettant d'extraire cette affirmation. Surtout, il ne peut y avoir de « droit » sans un « créancier » et un « débiteur » ; le droit est un rapport d'obligation entre une personne qui peut en exiger le bénéfice face à une autre qui le doit. Cet « autre » peut être un individu ordinaire (c'est l'obligation de droit privé) ou la société dans son ensemble (ce sont les droits de l'homme et du citoyen). Ce caractère distributif manque catégoriquement au prétendu « droit à la mort » (consulter l'article de Thomas Givanovitch, « Le suicide est-il l'un des droits de l'homme ? », *Rev. intern. dr. pén.,* 1952, p. 407 s.).

Il convient d'ajouter qu'il est même inapproprié de prétendre que le suicide est toujours une « liberté ». Pareille conclusion ne peut valoir que pour le suicide parfaitement lucide et conscient. La plupart des psychiatres spécialistes du suicide (P. Moron, *Le suicide,* Paris, PUF, « Que sais-je ? », n° 1569) attestent que, dans l'immense majorité des cas, le suicide est un appel au secours vers les autres. N'est-ce pas un raisonnement aride d'humanité que de qualifier de « liberté » un cri démontrant plutôt la « servitude » de l'être face à l'adversité ?

2. **Le nécessaire « droit de la mort ».** – Le droit à la mort n'existe pas, mais le droit à mourir dans la dignité est une certitude. La mort ne peut découler du droit, mais la mort exige le respect. La dignité de la personne humaine, du commencement de sa vie à son achèvement est la clef de voûte du droit. La dignité de la personne n'est pas un droit de l'homme, elle est l'assise du concept de « droit de l'homme ».

Certes, on se trouve à nouveau sur le terrain des ambiguïtés terminologiques. De ce point de vue, on ne peut légitimer la fausse alliance entre les soins palliatifs et l'euthanasie, car « les spécialistes de l'accompagnement des mourants dénoncent la confusion entre soins palliatifs et euthanasie » (*Le Monde,* 23 mars 1999).

L'euthanasie répond à une philosophie absolument opposée à celle des soins palliatifs. La première tend à nier la phase ultime de l'agonie, alors que les seconds en assurent l'aboutissement paisible. L'euthanasie passive étant une illusion, il ne peut y avoir aucune relation entre l'euthanasie et les soins palliatifs. La démonstration se trouve dans la situation des Pays-Bas : l'autorisation de l'euthanasie a eu pour conséquence que les soins palliatifs peu développés dans ce pays le sont moins encore aujourd'hui. Admettre dans une même législation les soins palliatifs et l'euthanasie, c'est faire cohabiter la loi de l'effort et celle de la facilité. L'euthanasie commence toujours par euthanasier les soins palliatifs.

Au sujet de la mise en place d'un système efficace de soins palliatifs, on citera la loi du 9 juin 1999 visant à garantir le droit à l'accès aux soins palliatifs. Il reste beaucoup à faire dans ce domaine (Monique Tavernier, *Les soins palliatifs,* Paris, PUF, « Que sais-je ? », n° 2592). Le Conseil économique et social, dans un avis du 24 février 1999, a souligné « les graves carences de l'accompagnement des malades en fin de vie ». Répondant à l'appel des « 132 » dans une tribune publiée par *France-Soir* (du 18 janvier 1999), le secrétaire d'État à la Santé, M. Bernard Kouchner, a rappelé que c'était la seule voie raisonnable et humaine à suivre.

À cela, bien évidemment, les partisans d'une légalisation de l'euthanasie répliquent avec constance que les soins palliatifs ne sont pas la panacée, qu'il existera toujours des douleurs irréductibles et insupportables. Nul ne le nie. Le juriste n'a pas à se prononcer sur ces situations, les médecins seuls peuvent apprécier leurs caractères en faisant des exceptions insurmontables. La solution appartient encore moins au juriste. Le médecin n'a pas à dire le droit mais le juriste n'a pas à s'ériger en médecin. Le juriste sait que le droit doit tenir compte du « cas de conscience ». La morale contemporaine est éprise d'une éthique cherchant essentiellement à établir des principes. Le droit ne vaut rien sans la justice ; la morale ne sert à rien sans l'humanité. C'est, d'un côté, la jurisprudence, de l'autre, la casuistique, disqualifiée avec outrance par le génie incendiaire de Pascal.

Lorsque Édouard Daladier s'opposa, pour des raisons morales, à ce que les services secrets français éliminent Adolphe Hitler, on mesure combien tragiques furent les conséquences de l'incapacité à résoudre un cas de conscience, qui certes était sujet à méditation. Lorsque Louis Pasteur, impuissant à sauver les paysans russes enragés par des loups et trop tardivement arrivés à Paris, ordonna de mettre un terme à leurs atroces souffrances, dépourvu de tout autre moyen d'agir pour contenir leur douleur, il a tranché en conscience.

Chapitre IX

PERSPECTIVES

Y aura-t-il une loi française sur l'euthanasie ? Cette loi est-elle nécessaire, plus encore possible ?

I. – Les propositions inutiles

Dans son avis du 3 mars 2000, le Comité consultatif national d'éthique a voulu poser les termes du débat, dans la perspective d'une future législation (voir, plus haut, chap. V, II, 2). Cet avis a aussitôt provoqué les discussions qui étaient dans les intentions de ses auteurs (G. Mémeteau, « La mort aux trousses », *RRJ,* 2000-3, p. 913 ; B. Legros, « Sur l'opportunité d'instituer une exception d'euthanasie en droit français », *Médecine et droit,* n° 46). Jacques Ricot a mis en évidence les contradictions et les insuffisances de cet avis (« Un avis controversé sur l'euthanasie », in *Esprit,* novembre 2000, p. 98) qui, au sein de la communauté des juristes, a surtout engendré la perplexité. Comment vouloir compliquer à dessein un système qui fonctionne déjà parfaitement bien ?

L'exception d'euthanasie visée par le Comité n'est rien d'autre que le « cas de conscience » classique des moralistes, dont nous venons de parler.

En droit, cela se dénomme l' « état de nécessité », visé à l'article 122-7 du Code pénal. Ces données, tenant au droit et aux institutions françaises, ont été occultées de la délibération du Comité.

1. **La procédure pénale de droit commun.** – Pour ce qui est de la responsabilité pénale, l'article 122-7 du même Code rappelle que « n'est pas pénalement responsable la personne qui a agi sous l'empire d'une force ou d'une contrainte à laquelle elle n'a pu résister ». C'est ce que l'on dénomme la contrainte. En revanche, le droit français ne connaît pas d'autres excuses ou d'autres circonstances atténuantes, telles le crime passionnel ou le crime compassionnel.

On peut en être surpris. Mais l'explication se trouve ailleurs, dans la procédure pénale. Les crimes relèvent d'une juridiction tout à fait particulière qui est la cour d'assises, dont l'élément essentiel est la présence du jury populaire (M. Peyrot et D. Vernier, *La cour d'assises,* Paris, PUF, « Que sais-je ? » n° 2497). La cour prononce des arrêts non motivés. Elle est plus obligée par la procédure que par le droit. Est-il besoin, ensuite, de rappeler que la pierre angulaire de la procédure criminelle française est l' « intime conviction » ?

Il est capital de souligner que la cour d'assises bénéficie de ce que l'on dénomme une plénitude de juridiction. Cela signifie que sa compétence est sans restriction dès lors qu'elle est saisie. Ce principe joint à celui de l'intime conviction, il est aisé de comprendre que les assises constituent une juridiction infiniment originale dans le droit juridictionnel français. Les assises sont le peuple rendant justice.

Lorsqu'ils ont à répondre aux questions, les jurés sont libres de leur appréciation et rien ne leur interdit de fournir des solutions parfaitement surréalistes. Ainsi, dans l'ancien Code pénal, le parricide était un crime inexcusable (au sens juridique du mot). Cela voulait dire que, le crime étant attesté, son auteur ne pouvait bénéficier de circonstances atténuantes. La position de la loi était parfaitement fondée dans son principe mais, à une époque où ce crime était sanctionné par la peine de mort, il se pouvait bien que des circonstances propres à l'affaire (père tyrannique ou incestueux, etc.) puissent inviter sinon à l'excuse, du moins à l'indulgence, voire au pardon. Que faisaient alors les jurys ? Soit ils niaient purement et simplement qu'il y ait eu meurtre : c'était l'acquittement ; soit, ce qui était plus subtil et conduisait à la qualification de meurtre ordinaire, donc avec possibles circonstances atténuantes, ils réfutaient... le lien de filiation, en soutenant contre toute réalité que le meurtrier n'était pas le fils de la victime !

Si le droit pénal français ignore, comme d'autres pays proches (Allemagne, Autriche, Suisse, Espagne), les circonstances atténuantes liées au crime passionnel ou compassionel, c'est tout simplement parce que cela est totalement inutile en considération de la souveraineté du jury d'assises dans l'appréciation des faits soumis à son jugement.

Par ailleurs, le Code de 1994 ne comporte plus de peine minimale mais seulement une peine maximale.

Par exemple, la peine du meurtre est d'un maximum de trente ans de réclusion (art. 221-1 C. pén.). La Cour peut parfaitement décider de ne condamner qu'à une peine inférieure et même très minime. Enfin, on sait communément que toute peine, même criminelle, peut être assortie du sursis de son exécution (art. 132-29 s. C. pén.). Dans ce cas, si le condamné ne se rend pas coupable d'un nouveau crime ou d'un nouveau délit dans les cinq ans qui suivent la condamnation, celle-ci est réputée non avenue (art. 132-35 C. pén.). Le 11 mars 1998, la cour d'assises d'Ille-et-Vilaine a ainsi jugé coupable l'auteur d'une euthanasie (l'acte a bien été qualifié d'assassinat) tout en ne prononçant qu'une peine de cinq ans d'emprisonnement assortis du sursis simple. Le 12 février 2001, la cour d'assises du Rhône a condamné à un an d'emprisonnement avec sursis un mari (poursuivi pour assassinat) qui avait tué sa femme gravement malade et qui avait tenté de se donner la mort ensuite. Dans ces conditions on ne comprend absolument pas que, dans son avis n° 63, le Comité consultatif national d'éthique puisse écrire : « Sur le plan du droit, ces constatations ne devraient pas conduire pour autant à la dépénalisation et les textes d'incrimination du Code pénal ne devraient pas subir de modification. Les juridictions, chargées de les appliquer, devraient recevoir les moyens de formuler leurs décisions sans avoir à user de subterfuges juridiques faute de trouver dans les textes les instruments techniques nécessaires pour asseoir leurs jugements ou leurs arrêts. » Pourquoi réclamer ce qui existe déjà ?

Enfin, et d'abord, dans l'ordre chronologique, entre en jeu le principe dit de « l'opportunité des poursuites ». L'article 40 du Code de procédure pénale dispose : « Le procureur de la République reçoit les plaintes et les dénonciations et apprécie la suite à leur donner. Il avise le plaignant du classement de l'affaire ainsi que la victime lorsque celle-ci est identifiée. » Que signifie ce principe ?

Cela implique que le procureur (sur instruction du garde des Sceaux) est parfaitement dans son droit de privilégier la répression de telle ou telle catégorie de délits ou de crimes, plutôt que telle autre (car la répression absolue est impossible). Il ne s'agit pas là d'un quelconque arbitraire ou caprice judiciaire. Le procureur exerce ce pouvoir de discernement dans l'intérêt commun. Il se peut encore que la poursuite d'un acte incriminé par la loi soit inopportune pour des raisons tenant à l'ordre public ou tout simplement à l'équité. Certains parricides ne furent jamais soumis aux cours d'assises parce qu'à l'évidence les circonstances plaidaient en faveur du meurtrier (le cas d'une jeune fille tuant son père incestueux). Mieux vaut alors passer outre que de voir les jurés prononcer un acquittement, certes justifié en stricte justice mais inutilement perturbateur de l'ordre juridique. L'oubli est une vertu.

Or, pour revenir à la question de l'euthanasie, si les condamnations sont rarissimes, c'est que les poursuites le sont tout autant (parce que les dénonciations sont quasi inexistantes). On en veut pour preuve cette affaire (*Le Monde,* 22 septembre 1998)

où se trouvait en cause un médecin de Séve-
rac-le-Château (Aveyron) qui avait administré une
piqûre de chlorure de potassium à une malade âgée
de 92 ans, hémiplégique, atteinte de gangrène et
ayant sombré dans le coma. Ayant agi seul, sans
l'opinion du reste de l'équipe médicale, ni de la
famille de la malade, il fut dénoncé par ses confrè-
res et sa hiérarchie avait déposé plainte. Mais le
procureur de la République du tribunal de grande
instance de Millau préféra ne pas ouvrir d'information judiciaire et se contenta de saisir, sur le plan
disciplinaire, l'Ordre des médecins. Le Conseil
de l'Ordre de la région Midi-Pyrénées décida, le
19 septembre 1998, qu'il n'y avait pas eu faute
déontologique (ce qui est tout à fait discutable au
regard des textes précis du Code de déontologie, en
particulier l'article 38 : « (...) Il n'a pas le droit de
provoquer délibérément la mort »). Le procureur fit
alors appel devant le Conseil national de l'Ordre
qui, en juillet 1999, réforma la décision de Toulouse
et l'interdit d'exercice pour un an. Cette sanction
fut approuvée par un arrêt du Conseil d'État du
29 décembre 2000 (Dr. fam., septembre 2001). Ce
qu'il importe ici de souligner n'est pas la condamnation mais sa mansuétude : aucune peine cor-
rectionnelle et encore moins criminelle, parce
qu'aucune poursuite judiciaire n'avait été intentée
(*Le Monde* du 18 mai 2001 fait état d'une affaire
similaire). Tout cela est parfaitement légal et
concret ; l'avis semble l'ignorer et raisonner dans
l'abstraction.

2. Une exception ambivalente et indéfinissable.

– Pourquoi une « exception d'euthanasie » et comment la définir ? Sur le point de procédure pénale, le moins que l'on puisse dire est bien que le Comité s'est aventuré en utilisant le mot « exception », tantôt dans un sens juridique (l'exception de procédure), tantôt dans un sens général (le cas exceptionnel), aboutissant à cette étrange déduction que l'exception procédurale pourrait être invoquée dans des cas exceptionnels. La conclusion est incompréhensible car une « exception de procédure » n'a strictement rien à voir avec des circonstances exceptionnelles. Le terme signifie simplement un moyen de procédure permettant de contester la procédure suivie par la partie adverse (exemple : soulever l'incompétence du tribunal est une exception de compétence). Or l'exception ne peut être un moyen de défense au fond. C'est pourtant dans ce sens que le Comité use du terme (J. Milhaud (2000), « À propos d'un avis du CCNE », *Médecine et droit,* 2000, n° 43). Il a oublié que le jury d'assises, comme le tribunal correctionnel par la maîtrise de la qualification du délit de non-assistance à personne en péril, tiennent déjà implicitement compte des mobiles, ainsi qu'on vient de le voir. Pourquoi dénommer « hypocrisie » ou « déviances » ce qui n'est que la saine et souple application de la loi ?

Mais si l'on retient la seconde acception du terme « exception », comme voulant dire « cas extraordinaire », l'incertitude quant au but poursuivi est aussi grande. Ce qui est exceptionnel ressort de l'espèce, non du genre. On parle de « cas » exceptionnels. Or la loi a vocation à définir non les exceptions mais les principes. Les exceptions apparaissent d'elles-mêmes dans la vie et ce sont les juridictions qui doivent en tenir cas. L'idée même de la définition de l'exception est un non-sens en droit pénal (P. Verspieren (2000), « L'exception d'euthanasie », *Études,* mai 2000, p. 581). Un juge est précisément établi pour discerner les nuances, les variantes et les exceptions. Le Comité n'a pas clairement vu ce qui incombe au législateur et ce qui est la mission du juge.

L'exception, en droit comme en tout, conforte la règle dès lors qu'elle est marginale et discrète. Il s'agit de bien s'entendre sur l'essentiel (« Qu'est-ce qu'une exception ? À propos de l'euthanasie », *Esprit,* juillet 2000). Si le principe réside dans le respect de la vie et, plus encore peut-être, de la dignité de l'homme mourant, en estimant que la vie n'appartient pas à l'homme et que sa dignité le transcende et engage toute l'humanité, alors vraiment les exceptions doivent être cantonnées. Si le principe est la relativité de la vie et la contingence de la dignité humaine, en croyant que la vie est un bien de l'homme, que celui-ci n'est pleinement homme que sain et en bonne santé, et qu'il n'est que quantité négligeable parmi les milliards de ses semblables, alors les exceptions ont champ libre et déterminent, au bout du compte, un principe inverse. Selon la valeur que l'on donne aux principes fondateurs, on admet ou non leurs limites. Il est, dans tous les cas, contradictoire, comme le fait l'avis du Comité, de prétendre se fonder sur ce qui est, en réalité, non pas un principe et son exception, mais deux principes opposés.

II. – Le « testament de vie » en droit français

On préférera un précédent avis (n° 26) rendu en 1991, bien plus limpide dans ses principes et son argumentation. Il avait conclu que « le Comité consultatif national d'éthique désapprouve qu'un texte législatif ou réglementaire légitime l'acte de donner la mort à un malade ».

Le moyen de faire connaître son hostilité à l'acharnement thérapeutique peut être le « testament de vie ». Une loi est-elle nécessaire pour instaurer le « testament de vie » en droit français ? Non seulement on peut en douter, mais on peut dire sans l'ombre d'une hésitation qu'elle sera parfaitement inutile : quiconque le veut peut laisser un « testament de vie » en droit français (Sur l'ambiguïté du terme *testament,* voir Rép. minist. du 8 mai 2000, n° 46 009, *JOAN,* 25 décembre 2000, p. 7377). Juridiquement, un tel acte est tout à fait possible et, comme on l'a déjà exposé, la personne est infiniment dans son droit en demandant que l'on s'abstienne des soins « extraordinaires » à l'heure de son agonie. Me Jean Picard a publié deux exemples de ces testaments de vie, l'un allemand, l'autre espagnol (*JCP,* éd. N., 1998, p. 1783).

Semblable document peut, en l'état du droit, être établi en France et répond, même, au vœu de la loi du 9 juin 1999 sur les soins palliatifs. Surgit une seconde interrogation : un tel document est-il requis pour empêcher l'acharnement thérapeutique ?

Depuis le nouveau Code de déontologie médicale, issu du décret du 6 septembre 1995, l'acharnement thérapeutique est une faute déontologique précise. L'article 37 du décret dispose : « En toutes circonstances, le médecin doit s'efforcer de soulager les souffrances de son malade, l'assister moralement et éviter toute obstination déraisonnable dans les investigations ou la thérapeutique. » L'article 38 poursuit : « Le médecin doit accompagner le mourant jusqu'à ses derniers moments, assurer par des soins et mesures appropriées la qualité d'une vie qui prend fin, sauvegarder la dignité du malade et réconforter son entourage. Il n'a pas le droit de provoquer délibérément la mort. »

Dans ces conditions, le testament de vie risque fort de se contenter de répéter ce que prescrit, en règle générale, le Code de déontologie. Ne mésestimons pas ce que peut avoir de réconfortant pour le médecin un document clair établi par son patient. En un temps où la jurisprudence charge sans cesse sa responsabilité, cette pièce n'est pas superfétatoire. Simplement, même sans ce document, un médecin ne doit ni craindre de cesser une thérapie déraisonnable, ni redouter de donner son nom à un premier arrêt qui retiendrait sa responsabilité pour ce fait.

Le « testament de vie » ne peut, en l'état du droit, comporter d'autres souhaits que celui de l'abstention de soins déraisonnables. Si même, par hypothèse, cette pièce comportait une demande d'euthanasie, elle ne pourrait avoir de suite, au regard du droit actuel. Changeons la loi, soutiendront certains ! Mais une loi suffirait-elle à autoriser l'euthanasie ? Cette loi serait-elle du droit ?

III. – Obstacles juridiques fondamentaux à une loi légalisant l'euthanasie

Deux obstacles majeurs se dressent : celui du consentement à l'acte euthanasique et celui du principe de la dignité de la personne humaine.

1. Le consentement à l'euthanasie. – Le caractère particulier du consentement à l'acte médical (L. Guignard ; S. Mounier) est d'autant plus problématique en matière d'euthanasie que celle-ci ne peut être qualifiée d'acte médical, ou alors dans tous les cas d'une manière infiniment dérogatoire à l'acte médical normal.

Comment appréhender la question sous un angle juridique ? Un consentement doit être, pour sa légitimité et sa validité, « libre et éclairé ». Libre, cela signifie qu'il y a matière à nullité en cas de constat de l'un des trois vices du consentement : erreur, dol (tromperie) ou violence. Éclairé, cela implique que la personne profane soit renseignée (critère objectif) et conseillée (critère subjectif) sur les termes de l'option qui s'offre à elle. Et, surtout, le consentement doit émaner d'une personne capable (capacité d'exercice) et saine d'esprit : « Pour faire un acte valable, il faut être sain d'esprit » (art. 489 C. civ.).

La demande d'euthanasie ne devrait donc être possible que par une personne ayant sa pleine capacité et son entière raison, non trompée, ni contrainte et ayant bénéficié d'un conseil précis et pertinent. D'emblée sont exclus les malades mentaux mais également les personnes frappées de sénescence ; évidemment, les mineurs (même entre 16 et 18 ans, alors que, dès cet âge, un testament est possible mais avec des limites). Cela signifie que la personne devrait s'y prendre relativement tôt.

Qu'en est-il du devoir de renseignement et de conseil du médecin ? L'incertitude est grande au regard des strictes exigences de la jurisprudence contemporaine. Celle-ci décide en effet que, « hormis les cas d'urgence, d'impossibilité ou de refus du patient d'être informé, un médecin est tenu de lui donner une information loyale, claire et appropriée sur les risques graves afférents aux investigations et soins proposés et [qu']il n'est pas dispensé de cette obligation par le seul fait que ces risques ne se réalisent qu'exceptionnellement » (1re civ., 7 octobre 1998, *JCP,* 1998-II-10179). Et c'est sur le médecin que repose « la charge de prouver qu'il a bien donné à son patient une information loyale, claire et appropriée sur les risques des investigations ou soins qu'il propose afin d'y donner un consentement ou un refus éclairé » (1re civ., 14 octobre 1997, *JCP,* 1997-II-22942).

Dans l'hypothèse envisagée, il faudrait admettre non seulement que le médecin donne des conseils sur les suites de l'acte d'euthanasie, ce qui est assez simple à expliquer, mais surtout qu'il puisse, par avance, prévoir les diverses situations dans lesquelles viendrait à se trouver son patient et qui justifieraient de passer à la phase finale. On est dans un cas bien différent du devoir de conseil ordinaire où le médecin se trouve face à une situation donnée. Là on lui demanderait, littéralement, de prédire l'avenir. Or la jurisprudence explicite le devoir de conseil en précisant que « c'est à l'époque des soins qu'il convient de se placer pour apprécier l'information que doit donner le médecin » (1re civ., 7 juillet 1998). Quadrature du cercle : le médecin devrait conseiller son patient bien des années avant l'acte d'euthanasie, alors que son conseil devrait intervenir au moment précis de l'acte.

Au-delà, peut-on assimiler le consentement, dans cette hypothèse, à un acte médical ? Rien n'est moins sûr car l'euthanasie n'est pas un acte médical. C'est si vrai que tous ceux qui invitent à la légaliser se situent sur le terrain du droit pénal. Le consentement serait ici celui de la victime. On revient alors à la difficulté invincible qu'un tel consentement n'est pas un fait justificatif exonératoire de la culpabilité de l'agent.

Ainsi, en se plaçant sur le terrain du droit médical, le consentement du patient risque d'être donné trop tôt et dans des conditions rendant impossible le devoir de conseil pertinent ; en restant sur celui plus classique du droit pénal, le consentement de la victime est sans portée quant à la culpabilité de l'auteur de l'acte.

Mais on est en droit de se demander si la France pourrait légaliser impunément l'euthanasie. Il lui faudrait franchir le cap du Conseil constitutionnel, d'une part, et craindre, d'autre part, la sentence de la Cour européenne des droits de l'homme.

2. **Le principe fondamental du respect de la dignité humaine.** – Pour ce qui est de la position du Conseil constitutionnel, on doit avoir présente à l'esprit sa décision signalée du 27 juillet 1994 relative aux lois de bioéthique. Ayant à statuer sur un article de la loi, devenu depuis l'article 16 du Code civil et disposant : « La loi assure la primauté de la personne, interdit toute atteinte à la dignité de celle-ci et garantit le respect de l'être humain dès le commencement de sa vie », le Conseil avait marqué d'une pierre blanche le principe fondamental du droit de l'éminente dignité de la personne humaine, incidemment cité par le Préambule de la Constitution de 1946 auquel fait référence le Préambule de celle de 1958 et qui se trouve donc inclus dans ce que l'on dénomme le « bloc de constitutionnalité ». Le Conseil a donc inscrit ce principe matriciel aux rangs des principes ayant valeur constitutionnelle (Luc Perrouin, « La dignité de la personne humaine et le droit », th. dactyl., Toulouse, 2000).

Certes, les tenants de l'euthanasie ne manqueront pas d'objecter que, précisément, la voie qu'ils préconisent sauvegarde la dignité de la personne. De bonnes raisons, juridiques, autorisent à douter que cette conception soit celle du Conseil. En droit constitutionnel comparé, le principe de dignité de la personne a été utilisé par la Cour suprême des États-Unis dans son arrêt, déjà étudié, de 1997

116

refusant de valider une législation favorable à l'euthanasie. On voit mal le Conseil français opiner d'une manière différente.

D'autant plus que, par une décision du 26 juin 1999, l'Assemblée parlementaire du Conseil de l'Europe a, sans détours, condamné la pratique de l'euthanasie, cela au nom, explicitement, de « la protection des droits de l'homme et de la dignité des malades incurables et des mourants ». L'Assemblée réprouve tout autant l'acharnement thérapeutique qui est la plus solide racine de l'euthanasie : « Respecter et protéger la dignité d'un malade incurable ou d'un mourant, c'est avant tout créer autour de lui un environnement approprié lui permettant de mourir dans la dignité. Priorité doit donc être donnée au développement des soins palliatifs et des traitements antidouleur ainsi qu'à l'accompagnement social et psychologique des malades et de leur famille. » Dans sa décision, l'Assemblée admet que ces ultimes soins peuvent avoir pour conséquence d'abréger la vie des personnes malades, mais elle conclut sur « l'interdiction absolue de mettre intentionnellement fin à leur vie ».

Quelle serait la position de la Cour européenne de Strasbourg en cas de contestation, devant elle, d'une loi permettant l'euthanasie ? L'article 8 de la convention fixe le principe du respect de la « vie privée », dont la Cour se fait de plus en plus une représentation proche de la *privacy* américaine (droit au libre développement de la vie personnelle). Reste qu'elle a refusé de condamner la Grande-Bretagne dont une loi avait permis l'intervention de la police pour mettre fin à des pratiques sadomasochistes dans un club privé homosexuel, estimant, à raison, que ces jeux spéciaux étaient contraires à la dignité de la personne (CEDH, 19 février 1997). De leur côté, les tribunaux français ont eu l'occasion de condamner, pour atteinte à ce principe, une publicité mettant en avant le torse d'un jeune homme tatoué de la marque « VIH positif » (CA Paris, 28 mai 1996, D. 1996 . 617, note B. Edelman). On aurait du mal à admettre que faire de la publicité en usant de l'image d'un sidéen soit contraire à la dignité humaine et que mettre un terme à la vie de ce même malade ne le soit pas. Tout cela n'est que raisonnement hypothétique sur une non moins hypothétique jurisprudence de la Cour de Strasbourg. Si l'on se souvient que cette juridiction se fonde essentiellement sur une analyse d'ensemble des droits des divers pays et qu'elle est la juridiction de ce Conseil dont l'Assemblée a pris la position que l'on vient de citer, on conviendra qu'il y a là un faisceau d'indices concordants pour conclure que les juges de Strasbourg opposeraient probablement un refus à l'admission de l'euthanasie, en tant qu'acte entraînant volontairement la mort d'autrui. Ce qui, naturellement, amène à s'interroger sur la conformité de la législation hollandaise au regard des engagements internationaux de ce pays.

Peut-on conclure, en quelques lignes, le débat juridique sur l'euthanasie ? Lorsqu'on dissipe les incertitudes terminologiques et les confusions conceptuelles, on s'aperçoit, tout d'abord, que les positions, de bonne foi, sont bien plus nuancées, et donc proches, que la polémique ordinaire ne le laisse supposer. La discussion sur l'agonie ne peut se réduire à être pour ou contre l'euthanasie.

– L'euthanasie, dans son acception contemporaine, est un acte cherchant à provoquer la mort. Une abstention n'est pas un acte de cette nature. Cela permet de dire que, si la distinction entre euthanasie active et passive est sans fondement, il faut, à l'inverse, bien différencier l'arrêt des soins (qui est euthanasique) de l'arrêt du traitement (qui ne l'est pas). C'est ce dernier cas que la doctrine espagnole dénomme, à bon droit, euthanasie naturelle, mais en prenant le mot dans son sens d'origine.

– L'acte euthanasique en droit pénal français peut recevoir la qualification de meurtre ou d'assassinat, voire de non-assistance à personne en péril. Mais la procédure pénale française permet, dans l'hypothèse d'un cas de conscience particulier, soit de ne pas poursuivre, soit de laisser le jury des assises totalement libre de son appréciation. C'est ce qui explique l'extrême rareté des poursuites et l'infime nombre de condamnations. L'euthanasie n'est punie en France que dans les cas criminels avérés. Une « exception » d'euthanasie n'a aucun sens procédural concret.

– Il n'y a pas lieu d'établir un quelconque parallèle entre soins palliatifs et euthanasie. Ce n'est pas là une alternative, laquelle supposerait deux principes de même valeur. Le principe est celui de l'accompagnement de l'agonisant par des soins palliatifs. L'exception marginale doit être l'euthanasie dans des situations extraordinaires. Non l'inverse. La loi a vocation à se fonder sur des principes, non sur des exceptions.

– Il n'existe aucun droit à la mort, mais un droit de la mort. Un projet de loi légalisant l'euthanasie buterait sur deux obstacles de droit : le consentement, libre et éclairé, à l'acte euthanasique et, plus encore, sa difficile conformité avec le principe fondamental du respect de l'éminente dignité de la personne humaine, qui a valeur de principe constitutionnel.

Ces arguments sont forts, ils ne sont pas arbitraires ; ils n'oublient ni l'humanité des mourants, ni celles des soignants. Le droit est un art de la mesure, pour trouver la solution juste et bonne pour tous. Il ne s'agit nullement de s'ériger en juge des intentions de ceux qui militent en faveur de l'euthanasie, c'est souvent la générosité et une extrême attention à la souffrance de l'autre qui animent leur combat. Leur conscience n'est pas suspecte. Ces qualités peuvent servir une autre cause, qui est, en définitive, la leur. Au terme de tout, on s'aperçoit que l'euthanasie est pour l'essentiel un faux débat parce qu'elle ne peut, tout simplement, concerner l'homme. Il faut, décidément, réserver ce terme à la pratique vétérinaire (art. 211 du Code rural, tel qu'issu de la loi du 6 janvier 1999 relative aux « pitbulls »). Les juristes aiment réduire en brocards ou en adages les points de droit les plus saillants. Puisse-t-on un jour voir frapper en maxime celui qui affirmera : « En France, on euthanasie les animaux, non les personnes. »

BIBLIOGRAPHIE

Dictionnaire permanent de bioéthique, « Acharnement thérapeutique. Euthanasie. Soins palliatifs ». Bibliographie importante.

Abiven M., Chardot C., Fresco R. (2000), *Euthanasie. Alternative et controverse*, Paris, Presses de la Renaissance.

Ariès P. (1959), *Essais sur l'histoire de la mort en Occident*, Paris, Le Seuil.

Aurenche S. (1999), *L'euthanasie, la fin d'un tabou ?*, Paris, ESF.

Baird R., Rosenbaum S.-E. (eds) (1989), *Euthanasia : The Moral Issues*, Prometheus Books, New York.

Baron Ch.-H. (1997), *Droit constitutionnel et bioéthique, l'expérience américaine*, Paris, Economica.

Baschet C. et Bataille J. (1987), « Face au mourir ordinaire. La mort à vivre », *Autrement*, série « Mutations », n° 87.

Baudoin J.-L. et Blondeau D. (1993), *Éthique de la mort et droit à la mort*, Paris, PUF.

Beignier B. (1997), *Respect et protection du corps humain. La mort. Art. 16 à 16-12 du Code civil*, Fascicule 70, Éd. du Jurisclasseur.

Bertrand M. (1998), « La vie en droit constitutionnel comparé. Éléments de réflexions sur un droit incertain », *RIDC*, 1998-4, p. 1031 s.

Biarnès P. (1999), *La mort de Paul et quelques réflexions sur l'euthanasie*, Paris, First.

Canto-Sperber M. (1996), *Dictionnaire d'éthique et de philosophie morale*, Paris, PUF, art. « Euthanasie » (J.-Y. Goffi), « Double effet » (P. Byrne), « Eugénisme » (M. Morange), « Vie et mort » (A. Fagot-Largeault), « Nihilisme » (B. Saint-Sernin), « Casuistique » (V. Carraud et O. Chaline).

Cottier G. (1996), *Défis éthiques*, Paris, Éd. Saint-Augustin.

Doucet H. (1998), *Les promesses du crépuscule. Réflexions sur l'euthanasie et l'aide médicale au suicide*, Labor et Fides.

Dunet-Larousse E. (1998), « L'euthanasie : signification et qualification au regard du droit pénal », *Rev. dr. san. soc.*, 265.

Elias N. (1998), *La solitude des mourants*, Paris, Christian Bourgois.

Folscheid D., Feuillet-Le Mintier B. et Mattéi J.-F. (1997), *Philosophie, éthique et droit de la médecine*, Paris, PUF.

Girault C. (2000), *Le droit à l'épreuve des pratiques euthanasiques*, th. dactyl., Paris XI.

Guignard L. (2000), « Les ambiguïtés du consentement à l'acte médical en droit civil », *RRJ*, 2000-1.

Hanus M. (2000), *La mort retrouvée*, Paris, Éd. Frison-Roche.

Hennezel M. de, Leloup J.-Y. (1997), *L'art de mourir*, Paris, R. Laffont.

Hennezel M. de (2000), *Nous ne nous sommes pas dit au-revoir. La dimension humaine du débat sur l'euthanasie*, Paris, R. Laffont.

Hocquard A. (1996), *L'euthanasie volontaire*, Paris, PUF.

Israël L. (1993), *La vie jusqu'au bout. Euthanasie et autres dérives*, Paris, Plon.

Javeau C. (2000), *Mourir*, Les Éperonniers.

Kant I. (1797), *Sur un prétendu droit de mentir par humanité*.

La Marne P. (1999), *Éthiques de la fin de vie. Acharnement thérapeutique, euthanasie, soins palliatifs*, Paris, Ellipses.

Lecourt D. (dir.) (1996), *La fin de vie : qui en décide ?*, Paris, PUF, « Forum Diderot ».

Legros B. (2001), Sur l'opportunité d'instituer une exception d'euthanasie en droit français », Paris, *Médecine et droit*, n° 46.

Leguay C. (2000), *Mourir dans la dignité. Quand un médecin dit oui*, Paris, R. Laffont. Commentaires de André Comte-Sponville.

Mantz J.-M., « Autonomie du patient et paternalisme médical. Le point de vue d'un médecin réanimateur », *Revue d'éthique et de théologie morale. Le supplément*, n° 192, Paris, Cerf.

Maret M. (2000), *L'euthanasie. Alternative sociale et enjeux pour l'éthique chrétienne*, Paris, Éd. Saint-Augustin.

Marin I. (2001), « L'euthanasie, question éthique, juridique, médicale, ou politique ? », *Justices*, avril 2001.

Mill J. S. (1863), *Utilitarianism*, (tr. fr. G. Tanesse, *L'utilitarisme*, Paris, Flammarion, « Champs », 1988).

Monnier S. (2001), « La reconnaissance constitutionnelle du droit au consentement en matière biomédicale. Étude de droit comparé », *RIDC*, avril-juin 2001, n° 2, p. 385 s.

Montaigne (1580-1595), *Essais*, II, 3.

Piccini B. (1999), *Euthanasie, l'hôpital en question*, Paris, Michalon.

Pinckaers S. (1986, réimpr. 1995), *Ce qu'on ne peut jamais faire. La question des actes intrinsèquement mauvais. Histoire et discussion*, Fribourg (Suisse), Éditions Universitaires / Paris, Cerf.

Pohier J. (1998), *La mort opportune. Les droits des vivants sur la fin de leur vie*, Paris, Le Seuil, 367 p.

Pousson-Petit J. (2001), « Propos paradoxaux sur l'euthanasie à partir de textes récents », *Dr. famille*, février 2001, chap. 2, n° 3.

Rachels J. (1986), *The End of Life : Euthanasia and Morality*, Oxford University Press.

Rameix S. (1996), *Fondements philosophiques de l'éthique médicale*, Paris, Ellipses.

Ricot J. (2000, novembre), « Un avis controversé sur l'euthanasie », *Esprit*.

Salamagne M.-H., Hirch E. (1992), *Accompagner jusqu'au bout de la vie*, Paris, Cerf.

Saunders C., Baines M. (1986), *La vie aidant la mort*, Medsi.

Schaerer R. (1985), Les besoins de la personne en fin de vie, *JALMAV*, n° 1.

Tavernier M. (2000), *Les soins palliatifs*, Paris, PUF, « Que sais-je ? », n° 2592.

Véricourt G. de (1999), *L'euthanasie, mieux mourir ?*, Éd. Milan, « Les Essentiels ».

Verspieren P. (1984, 1999), *Face à celui qui meurt*, Paris, Desclée de Brouwer.

Verspieren P. (2000), « L'exception d'euthanasie », *Études*, mai 2000.

Zoller E. (1997), *Grands arrêts de la Cour suprême des États-Unis*, Paris, PUF.

ASSOCIATIONS

Association pour le droit à mourir dans la dignité (ADMD), 103, rue La-Fayette, 75010 Paris, 01 42 85 12 83, admd@club-internet.fr.

Jusqu'à la mort accompagner la vie (JALMALV), 4 *bis,* rue Hector-Berlioz, 38000 Grenoble, 04 76 51 08 51 ; 132, rue du Faubourg-Saint-Denis, 75010 Paris, 01 40 35 17 42 ; jalmalv@club-internet.fr.

Société française d'accompagnement et de soins palliatifs (SFAP), 110, avenue Émile-Zola, 75015 Paris, 01 45 75 43 86.

TABLE DES MATIÈRES

Imprimé en France
Imprimerie des Presses Universitaires de France
73, avenue Ronsard, 41100 Vendôme
Mars 2002 — N° 49 105